# Teste Dein Deutsch!

## Stufe 1

## Ein Testbuch für Anfänger

Von
Dr. Marianne Zingel

**Langenscheidt**

Berlin München Wien Zürich

Weitere Bände dieser Reihe:

*Teste Dein Deutsch*
*Stufe 2: Testbuch für Fortgeschrittene*
(Best.-Nr. 38526)

*Teste Dein Wirtschaftsdeutsch*
(Best.-Nr. 38527)

| Auflage: | 6. | 5. | 4. | 3. | Letzte Zahlen |
|----------|----|----|----|----|---------------|
| Jahr: | 1987 | 86 | 85 | 84 | maßgeblich |

© 1980 by Langenscheidt KG, Berlin und München
Zeichnungen: Gerhard Wawra
Umschlagentwurf: grafik-dienst A. Wehner
Druck: Presse-Druck Augsburg
Printed in Germany · ISBN 3-468-38525-0

# Inhalt

# Zur Einführung

Alle Anfänger und viele Fortgeschrittene machen Fehler, die
ihre deutschsprechenden Partner als merkwürdig, komisch
oder peinlich empfinden. Sie gebrauchen das falsche Wort,
die falsche Wendung, eine falsche grammatische Form oder
eine unkorrekte Aussprache. Mit TESTE DEIN DEUTSCH!
bekommt der Deutschlernende solche Dinge in den Griff.
Seine Deutschkenntnisse werden durch Abtesten systematisch
aufgebaut.

Das Testprinzip dieses Buches ist das „Multiple-choice-
Verfahren", d. h. nach jeder in Deutsch gestellten Frage
werden dem Lernenden 5 Antworten zur Auswahl angeboten,
von denen er eine als die richtige Lösung kennzeichnen muß.
Durch Umblättern zu den „Antworten" kann er sich dann selbst
kontrollieren; er findet dort auch die Begründung für die
richtige Lösung sowie weitere Erläuterungen zum Fragen-
komplex.

Diese Methode unterscheidet sich von den herkömmlichen
Lernformen. Sie ist anregend, oft amüsant. Die Kürze der Lern-
einheit – die Frage – ermöglicht ein zwangloses Arbeiten auch
unterwegs oder wenn wenig Zeit zur Verfügung steht.

Trotzdem basiert die Methode auf modernen linguistischen
Erkenntnissen. Autorin des vorliegenden Buches ist Dr. Marianne
Zingel. Als Dozentin am Goethe-Institut kennt sie aus langjähriger
Lehrerfahrung die Fallen, die die deutsche Sprache dem
Lernenden stellt.

TESTE DEIN DEUTSCH! umfaßt zwei Bände, die nach
Schwierigkeitsstufen gegliedert sind:

Stufe 1 – ein Testbuch für Anfänger
Stufe 2 – ein Testbuch für Fortgeschrittene

Wenn Sie nur geringe Deutschkenntnisse haben, beginnen
Sie mit dem Band der Stufe 1. Stufe 2 ist für denjenigen
gedacht, der schon einige Jahre Deutsch gelernt hat.

# So arbeiten Sie mit diesem Buch

- Nach dem Lesen jeder Frage prüfen Sie bitte sorgfältig, welche der nachgestellten 5 Antworten (a–e) die richtige Lösung darstellt.

- Wenn Sie die richtige Antwort gefunden haben, schreiben Sie den entsprechenden Buchstaben (a, b, c, d, e) in das Kästchen am Rand.

- Haben Sie einen Test durchgearbeitet, so schlagen Sie die „Antworten" auf. Prüfen Sie jetzt, ob Ihre Antworten richtig waren, und studieren Sie die Erläuterungen zu den Fragenkomplexen.

- Ermitteln Sie die Anzahl Ihrer richtigen Antworten und tragen Sie das Ergebnis in das Kästchen für den betreffenden Test auf der Seite „Ihr Testergebnis" ein.

- Auf den Seiten „Wie geht es weiter?" am Ende von Teil A und B werden Ihre Testergebnisse ausgewertet und danach die Weichen für Ihre weitere Arbeit gestellt.

# TEIL A

# Test 1

1 Ich fahre nach Frankreich, aber Michael
  fährt . . .
  a) nach Türkei
  b) nach die Türkei
  c) in die Türkei
  d) nach der Türkei
  e) in der Türkei

2 Welches Wort schließt die vier anderen
  ein ?
  a) Kohl
  b) grüne Bohnen
  c) Gemüse
  d) Gurken
  e) Spinat

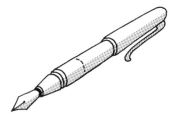

3 Was ist das ?
  a) ein Füller
  b) ein Kugelschreiber
  c) ein Bleistift
  d) ein Schriftsteller
  e) ein Buntstift

4 *Samstag* ist ein anderes Wort für:
  a) Sonntag
  b) Freitag
  c) Feiertag
  d) Sonnabend
  e) Schalttag

5 Das Gegenteil von *hinten* ist:
  a) vor       d) vorn
  b) vorder    e) fort
  c) von

6 Peter ist nicht hier, er ist . . .
  a) mit seinem Onkel
  b) beim seine Onkel
  c) zu seinem Onkel
  d) zum seine Onkel
  e) bei seinem Onkel

7 Was antwortet der Mann?
  a) In die Stadt.
  b) Die Straße ist nicht gut.
  c) Sehr langsam.
  d) Danke, gut!
  e) Zu Fuß.

8 Welches Zahlwort ist falsch
   geschrieben?
   a) hundert
   b) sechszehn
   c) eine Million
   d) vierundsiebzig
   e) einundzwanzig

9 Was sagt sie zu ihrem Freund?
   a) Fahre du doch nicht so schnell!
   b) Fährst du doch nicht so schnell!
   c) Fahren doch nicht so schnell!
   d) Fähr doch nicht so schnell!
   e) Fahr doch nicht so schnell!

10 Was kann man nicht trinken?
   a) Saft
   b) Limonade
   c) Sprudel
   d) Tinte
   e) Bowle

11 Welches Wort paßt nicht in die Reihe?
   a) Klavier
   b) Flügel
   c) Federn
   d) Schnabel
   e) Eier

12 Das ist . . .
   a) ein Tassenteller
   b) eine Untertasse
   c) ein Unterteller
   d) ein Kleinteller
   e) ein Untersetzer

13 Ist das ein . . . Kleid ?
   a) neu
   b) neuen
   c) neue
   d) neuer
   e) neues

14 Wie ist die richtige Reihenfolge ?
   a) selten, oft, nie, meistens, immer
   b) nie, selten, oft, meistens, immer
   c) immer, oft, selten, meistens, nie
   d) immer, meistens, selten, oft, nie
   e) nie, selten, meistens, oft, immer

15 Hast du Steine in deinem Koffer ?
   Der ist ja so . . .
   a) schwierig
   b) schwer
   c) stark
   d) beschwerlich
   e) kräftig

# Test 2

1 Klaus, du mußt mir helfen, du bist doch
mein . . . Freund!
a) besten
b) am besten
c) am bestener
d) bester
e) beste

2 Man fragt Sie: ,,Ist dieser Platz noch
frei?'' Sie antworten: ,,Nein, er ist
schon . . .''
a) besetzt
b) unfrei
c) genommen
d) gehalten
e) gegeben

3 Ich kenne ihn erst . . .
a) seit zwei Tagen
b) vor zwei Tagen
c) in zwei Tagen
d) nach zwei Tagen
e) an zwei Tagen

4 Wie . . . du denn mein neues Kleid?
a) hältst
b) gefällst
c) findest
d) denkst
e) stehst

5 Wißt ihr denn schon, . . . ihr im Urlaub
   fahren wollt?
   a) woher
   b) wohin
   c) wo
   d) wozu
   e) wonach

6 Was ist das?
   a) eine Verkehrslampe
   b) ein Verkehrslicht
   c) ein Scheinwerfer
   d) ein Warnlicht
   e) eine Verkehrsampel

7 Welches Geldstück gibt es nicht in der
   Bundesrepublik?
   a) ein Zweipfennigstück
   b) ein Zweimarkstück
   c) ein Zehnpfennigstück
   d) ein Zehnmarkstück
   e) ein Fünfmarkstück

8 Was ist gelb?
   a) Tinte          d) Milch
   b) eine Tomate    e) eine Brombeere
   c) eine Zitrone

9 Der Tag vor gestern heißt *vorgestern*.
   Wie heißt der Tag nach morgen?
   a) übermorgen
   b) nachmorgen
   c) danachmorgen
   d) hintermorgen
   e) daraufmorgen

10 Wie heißt dieser Teil der Tasse?
   a) der Deckel
   b) der Händler
   c) der Henkel
   d) der Händel
   e) der Griff

11 Ich suche ein Zimmer mit ... Wasser
   a) warm
   b) warmes
   c) warmem
   d) warmen
   e) warme

12 „Kann ich bitte noch eine Tasse Kaffee
   haben?" – „Oh, es tut mir leid,
   wir haben ..."
   a) nicht noch eine
   b) keine mehr
   c) nicht einen
   d) keinen mehr
   e) keins

13 Ich interessiere mich nicht ... Politik.
   a) für      d) um
   b) an       e) mit
   c) in

14 Warum stehen Sie denn? ...
   a) Setz dich doch!
   b) Sitzen Sie doch!
   c) Setzen sich Sie doch!
   d) Sitzen Sie sich doch!
   e) Setzen Sie sich doch!

15 Welches Wort paßt nicht zu den
anderen?
a) Koffer      d) Tasche
b) Rucksack    e) Gebäck
c) Seesack

_e_

# Test 3

1 Das Gegenteil von *sauber* ist:
a) schwarz
b) unklar
c) dunkel
d) schmutzig
e) häßlich

_d_

2 Was bekommt man nicht beim Bäcker?
a) Brötchen
b) Küchen
c) Brot
d) Torte
e) Kleingebäck

_b_

3 Jemand fragt Sie: „Können Sie Klavier
spielen?" Sie antworten:
a) Nein, kann ich das leider nicht.
b) Nein, ich leider kann das nicht.
c) Nein, leider ich kann das nicht.
d) Nein, das ich kann leider nicht.
e) Nein, das kann ich leider nicht.

_e_

4 Er zog sich aus und legte sich . . .
   a) im Bett
   b) in Bett
   c) ins Bett
   d) zu Bett
   e) auf Bett

5 Was kann man nicht sagen?
   a) Wieviel Uhr ist es?
   b) Wir haben täglich 5 Uhr Unter-
      richt.
   c) Geht Ihre Uhr richtig?
   d) Um 12 Uhr gibt es Mittagessen.
   e) Die Turmuhr schlug Mitternacht.

6 Was sagt der Junge?
   a) Wirf!
   b) Nimm!
   c) Trage!
   d) Fang!
   e) Halt!

7 Ich hatte leider keine Zeit, . . .
   a) für das Buch lesen
   b) zum das Buch lesen
   c) für das Buch zu lesen
   d) das Buch zu lesen
   e) um das Buch zu lesen

8 In den großen Ferien bin ich . . .
   Schweiz gefahren.
   a) nach
   b) in die
   c) nach der
   d) in der
   e) in

9 Was ist richtig?
   a) Was ist denn hier passiert?
   b) Was hat denn hier passieren?
   c) Was ist denn hier gepassiert?
   d) Was hat sich denn hier passiert?
   e) Was hat denn hier passiert?

10 Womit winkt sie? – Mit einem . . .
   a) Handtuch
   b) Taschentuch
   c) Tischtuch
   d) Staubtuch
   e) Wischtuch

11 Eines davon sagt man nicht: „Nimm
doch noch eine Scheibe . . . !"
   a) Brot
   b) Butter
   c) Wurst
   d) Käse
   e) Schinken

12 Was ist kein Jungenname?
   a) Dieter
   b) Klaus
   c) Joachim
   d) Petra
   e) Hartmut

13 Wo liegt die Zigarette? – Auf . . .
   a) dem Aschenkasten
   b) der Zigarettenschachtel
   c) dem Aschenbecher
   d) dem Zigarettenhalter
   e) dem Aschenteller

14 Was ist falsch? Es passierte . . .
   a) am Nacht
   b) am Morgen
   c) am Nachmittag
   d) am Vormittag
   e) am Abend

15 Wo muß es *der* heißen?
   a) das Lachen
   b) das Singen
   c) das Magen
   d) das Essen
   e) das Bellen

# Test 4

1 Das Büro liegt ganz in der Nähe . . .
Bahnhofs.
  a) vom
  b) beim
  c) der
  d) des
  e) am

2 Das Gegenteil von *schön* ist:
  a) hübsch
  b) schlecht
  c) häuslich
  d) schlimm
  e) häßlich

3 Das ist . . .
  a) eine Zurückfahrkarte
  b) eine Rückkehrkarte
  c) eine Rückfahrkarte
  d) eine Hin-und-Herkarte
  e) eine Hin-und-Zurück-Karte

4 Wegen dieser dummen Erkältung habe
ich die ganzen Feiertage im Bett . . .
  a) gelegt
  b) geblieben
  c) gemußt
  d) gelegen
  e) gewesen

5 Barbara ist nicht da. Sie ist . . .
  Freundin gegangen.
  a) zu seiner     d) zu ihrer
  b) zu ihrem     e) zu seine
  c) zur der

6 Was kann man nicht trinken ?
  a) Saft          d) Milch
  b) Mehl          e) Limonade
  c) Sprudel

7 ,,Trinkst du gern Wein ?'' – ,,Ja, aber
  Bier trinke ich noch . . .''
  a) mehr gern    d) am liebsten
  b) gerner       e) lieber
  c) besser

8 Wo steht der Fernsehapparat ?
  a) in der Ecke
  b) in die Ecke
  c) an der Ecke
  d) um die Ecke
  e) vor der Ecke

9 Ich werde mir den Film nicht ansehen,
weil . . . nicht interessiert.
a) mich er
b) ihn mich
c) mir das
d) er mich
e) das mich

*d*

10 Wie sagt man?
a) Gibst mir bitte mal die Zeitung!
b) Gebe mir bitte mal die Zeitung!
c) Gebst mir bitte mal die Zeitung!
d) Gib mir bitte mal die Zeitung!
e) Geb du mir bitte mal die Zeitung!

*d*

11 In einem Zimmer haben wir über
unseren Köpfen:
a) die Decke
b) den Boden
c) die Dielen
d) die Deckung
e) den Deckel

*e*

12 Welcher Baum ist in Deutschland nicht
heimisch?
a) die Eiche
b) die Birke
c) die Buche
d) die Palme
e) die Tanne

*d*

13 Was ist grün?
a) Kohle      d) Fleisch
b) Schnee    e) Butter
c) Spinat

*c*

14 Wo heißt es nicht *der*?
   a) der Eimer
   b) der Teller
   c) der Hammer
   d) der Salzstreuer
   e) der Messer

15 Was ist falsch?
   a) Liest er gern Krimis?
   b) Liest du gern Romane?
   c) Ich lese jetzt sehr viel.
   d) Früher lase ich nicht so gern.
   e) Haben Sie schon etwas von Böll
      gelesen?

# Test 5

1 Was ist richtig?
   a) Claudia steht die Teller auf dem
      Tisch.
   b) Claudia legt die Teller auf den Tisch.
   c) Claudia liegt die Teller auf dem
      Tisch.
   d) Claudia stellt die Teller auf den
      Tisch.
   e) Claudia stellt die Teller auf dem
      Tisch.

2 In Deutschland nennen kleine Kinder
ihre Eltern meistens:
a) Ma und Pa
b) Mama und Papa
c) Mutter und Vater
d) Mam und Paps
e) Mutti und Vati

 ✓

3 Wir fahren am Wochenende oft . . .
Meer.
a) am
b) ans
c) im
d) ins
e) nach

 ✗

4 Welches Wort paßt nicht zu den
anderen?
a) Kinderzimmer
b) Frauenzimmer
c) Wohnzimmer
d) Arbeitszimmer
e) Schlafzimmer

 ✓

5 Das ist . . .
a) ein Kocher
b) eine Herde
c) ein Koch
d) ein Herd
e) eine Köchin

 ✓

6 Was ist richtig?
   a) Wir haben den ganzen Tag zu Haus geblieben.
   b) Wir sind den ganzen Tag zu Haus bleiben.
   c) Wir sind den ganzen Tag zu Haus geblieben.
   d) Wir haben den ganzen Tag zu Haus gebleibt.
   e) Wir sind den ganzen Tag zu Haus gebliebt.

7 Die Wörter: *Zelle, wählen, Hörer, Nummer* haben alle mit . . . zu tun.
   a) der Universität
   b) dem Gefängnis
   c) dem Radio
   d) dem Telefonieren
   e) der Politik

8 Ich bin schon . . . einer Woche hier.
   a) vor
   b) bevor
   c) seit
   d) für
   e) seitdem

9 „Vergiß nicht, mir das Buch mitzubringen!" sagt Ihr Freund.
   Wie antworten Sie richtig?
   a) Natürlich ich bringe es dir mit.
   b) Natürlich ich mitbringe es dir.
   c) Natürlich bringe ich dir es mit.
   d) Natürlich mitbringe ich es dir.
   e) Natürlich bringe ich es dir mit.

10  Sie möchte wissen, wie spät
es ist.
Was macht sie?
a) Sie sieht auf die Uhr.
b) Sie sieht die Uhr an.
c) Sie beobachtet die Uhr.
d) Sie betrachtet die Uhr.
e) Sie sieht der Uhr nach.

11  Das ist aber ein schönes Geschenk!
Ich danke Ihnen herzlich . . . !
a) daran
b) dazu
c) darüber
d) darauf
e) dafür

12  Was ist kein Mädchenname?
a) Ute
b) Gertrud
c) Helmut
d) Karin
e) Monika

13  Das Wetter in Deutschland war . . .,
als ich gedacht hatte.
a) so gut
b) das beste
c) am besten
d) gut so
e) besser

14 Was ist richtig ? – „Herr Müller . . .
   seinem Sohn ein Telegramm."
   a) schinkte    d) sendete
   b) schickte    e) sendte
   c) schenkte

15 Jemand fragt Sie: „Wie geht es Ihren
   Eltern ?" Sie antworten:
   a) Danke, es geht sie gut.
   b) Danke, sie gehen gut.
   c) Danke, es geht ihnen gut.
   d) Danke, es geht Sie gut.
   e) Danke, es geht Ihnen gut.

# Test 6

1 Herr Schmidt ist ein guter . . . von mir.
   a) bekannt
   b) Bekannte
   c) bekannte
   d) Bekannter
   e) bekannter

2 In Bayern sagen die Leute statt
   „Guten Tag" oft:
   a) Grüezi!
   b) Großer Gott!
   c) Grüß Gott!
   d) Lieber Gott!
   e) Sei gegrüßt!

3 Das ist . . .
   a) eine Büchse
   b) eine Dose
   c) ein Korb
   d) ein Eimer
   e) ein Container

4 Mein Mann ist so gut! Es gibt keinen
   . . . Ehemann als ihn!
   a) guten
   b) besten
   c) besseren
   d) besser
   e) am besten

5 Er hat fünf Glas Whisky getrunken,
   aber . . .
   a) obwohl will er Auto fahren.
   b) trotz will er Auto fahren.
   c) dagegen will er Auto fahren.
   d) trotzdem will er Auto fahren.
   e) denn will er Auto fahren.

6 Können Sie eine Mark . . . ?
   Ich brauche dringend Kleingeld.
   a) tauschen
   b) wechseln
   c) ändern
   d) umtauschen
   e) abwechseln

7 Das Gegenteil von *unter* ist:
   a) ober
   b) ob
   c) oben
   d) auf
   e) über

8 Welches Wort reimt sich nicht auf die anderen?
   a) hier
   b) mir
   c) ihr
   d) wirr
   e) vier

9 Wo steckt der Fehler? – „Ich bleibe nur . . . hier."
   a) eine Stunde
   b) ein Jahr
   c) einen Monat
   d) eine Woche
   e) ein Tag

10 Das ist . . .
   a) ein Kinderwagen
   b) ein Lieferwagen
   c) ein Güterwagen
   d) ein Einkaufswagen
   e) ein Packwagen

11 *singen, sang, gesungen* – Welches Verb
geht nicht nach diesem Schema?
   a) schwingen
   b) dringen
   c) klingen
   d) bringen
   e) springen

   d ✓

12 Was ist falsch? – „Sie setzte sich . . ."
   a) ans Klavier
   b) an den Tisch
   c) ans Fenster
   d) ans Fahrrad
   e) ans Steuer ihres Wagens

   d ✓

13 Guten Morgen, Fräulein Klein! . . .
   a) Wie gehen Sie?
   b) Wie geht Ihnen?
   c) Wie geht Ihnen es?
   d) Wie geht es Sie?
   e) Wie geht es Ihnen?

   e

14 Was ist richtig?
   a) Sein doch nicht so traurig!
   b) Bist du doch nicht so traurig!
   c) Sei doch nicht so traurig!
   d) Bist doch nicht so traurig!
   e) Seist doch nicht so traurig!

   c ✓

15 Was sagen wir nicht?
   a) Danke sehr!
   b) Herzlichen Dank!
   c) Danke schön!
   d) Danke vielmals!
   e) Danke viel!

   e ✓

# Test 7

1 Bei Müller und Co. gefällt es mir nicht
 mehr so gut. Ich habe mich jetzt . . .
 neue Stelle beworben.
 a) für eine
 b) in einer
 c) bei einer
 d) um eine
 e) zu einer

 $a$ ✗

2 Ich gratuliere dir zum Geburtstag
 und wünsche dir . . .
 a) alle gute          d) alles gute
 b) alles gut          e) alles Gute
 c) alles Gutes

 $c$ ✗

3 Die Leute warten an . . .
 a) einem Bushalt
 b) einer Busstelle
 c) einer Bushaltestelle
 d) einem Busstop
 e) einem Busstand

 $c$ ✓

4 Was ist richtig?
   a) Nimm dir doch noch ein Stück
      Schokolade!
   b) Nimmst du doch noch ein Stück
      Schokolade!
   c) Nehme dir doch noch ein Stück
      Schokolade!
   d) Nimm dich doch noch ein Stück
      Schokolade!
   e) Nehme du doch noch ein Stück
      Schokolade!

5 Welcher Satz paßt nicht zu den
  anderen?
   a) Im zweiten Stock wohnt Familie
      Meyer.
   b) Das Haus hat drei Stockwerke.
   c) In der ersten Etage befindet sich
      die Praxis von Dr. Weber.
   d) Seit einem Unfall geht Herr Meyer
      am Stock.
   e) Im Erdgeschoß sind gerade neue
      Mieter eingezogen.

6 1970 war ich das letztemal in München.
  Ich finde, seitdem ist die Stadt
  viel schöner . . .
   a) worden
   b) gewesen
   c) geworden
   d) gemacht
   e) bekommen

7 Was wird nicht aus Milch gemacht?
   a) Käse     d) Sahne
   b) Speck    e) Butter
   c) Joghurt

b ✓

8 Wenn jemand an unsere Tür klopft,
   antworten wir gewöhnlich:
   a) Kommen Sie!
   b) Geh ein!
   c) Herein!
   d) Vorwärts!
   e) Hinein!

c ✓

9 Alle diese Wörter haben ein kurzes *u*,
   außer einem:
   a) der Fuß
   b) der Guß
   c) der Fluß
   d) der Kuß
   e) der Schluß

a ✓

10 Was gehört zusammen?
   a) Kamm und Gehen
   b) Kamm und Brüste
   c) Kamm und Besen
   d) Kamm und Borsten
   e) Kamm und Bürste

e ✓

11 Fahren Sie mit dem Wagen oder gehen
   Sie . . . ?
   a) mit Fuß
   b) zu Fuß
   c) bei Fuß
   d) mit Füßen
   e) auf den Füßen

b ✓

12 Maria muß heute bei . . . bleiben.
   a) ihre kranke Tante
   b) seiner kranken Tante
   c) ihre kranken Tante
   d) seine kranke Tante
   e) ihrer kranken Tante

$\boxed{e}$ ✓

13 Die Eltern sprachen ganz leise, . . . das Kind nicht zu wecken.
   a) damit
   b) daß
   c) für
   d) um
   e) weil

$\boxed{d}$ ✓

14 Sie wiegt 62 kg und ist 1,78 m . . .
   a) groß
   b) hoch
   c) lang
   d) stark
   e) längs

$\boxed{a}$ ✓

15 Was ist das?
   a) ein Öffner
   b) ein Schloß
   c) ein Schließer
   d) ein Schlüssel
   e) ein Verschluß

$\boxed{d}$ ✓

# Test 8

1 Ein Mann aus Deutschland ist . . .
   a) ein Deutsche
   b) ein Deutsch
   c) ein Deutscher
   d) einen Deutschen
   e) ein Deutschmann

2 Sie geht die Treppe . . .
   a) unter
   b) abwärts
   c) herunter
   d) unten
   e) hinunter

3 Hat sie ihren Zug noch erreicht,
   oder . . . abgefahren ?
   a) er war schon
   b) war er schon
   c) schon war er
   d) war schon
   e) schon war

4 Welcher Satz ist richtig ?
   a) Sie helft ihrer Mutter kochen.
   b) Sie hilft ihre Mutter zu kochen.
   c) Sie hilft ihre Mutter kochen.
   d) Sie helft ihre Mutter kochen.
   e) Sie hilft ihrer Mutter kochen.

5 Man sollte mehr . . .
   a) Sport treiben
   b) Sport machen
   c) Sport spielen
   d) Sport tun
   e) Sport führen

6 Das ist . . .
   a) ein Salzwerfer
   b) ein Salzgeber
   c) ein Salzspender
   d) eine Salzdose
   e) ein Salzstreuer

7 . . . Sie Ihren kleinen **Sohn** bei diesem
   Verkehr schon allein über die Straße
   gehen?
   a) Dürfen
   b) Wollen
   c) Können
   d) Lassen
   e) Erlauben

8 Wann ist denn dieser schreckliche
   Unfall passiert?
   a) Vor einer Woche.
   b) Bevor einer Woche.
   c) Seit einer Woche.
   d) Während einer Woche.
   e) In einer Woche.

9 Können Sie den Fehler finden?
   a) Ich habe das nicht gewollt!
   b) Er hat das nicht tun gewollt.
   c) Ich will es nun auch ganz gewiß
      nicht wieder tun.
   d) Wolltest du das denn?
   e) Sie werden es bestimmt nicht tun
      wollen.

   *e*   ✗

10 Hast du das selbst gearbeitet?
   Wie lieb von dir! Hab vielen Dank . . . !
   a) davor
   b) dafür
   c) darüber
   d) daran
   e) dazu

   *b*   ✓

11 Ist der 1. Mai in Ihrem Land ein . . . ?
   a) Ferientag
   b) Freitag
   c) Feiertag
   d) Freiertag
   e) Urlaubstag

   *c*   ✓

12 Was macht sie?
   a) Sie beugt sich.
   b) Sie kniet.
   c) Sie neigt sich.
   d) Sie biegt sich.
   e) Sie hockt.

   *e*   ✓

13 Was ist richtig?
   a) Fängst doch endlich an!
   b) Fang doch endlich an!
   c) Anfange doch endlich!
   d) Anfängst du doch endlich!
   e) Fange an doch endlich!

14 Was ist kein Möbelstück?
   a) eine Schranke
   b) ein Bett
   c) ein Sessel
   d) eine Kommode
   e) ein Bücherregal

15 Was bedeutet *auf einmal*?
   a) plötzlich
   b) einst
   c) früher
   d) kürzlich
   e) wieder

# Test 9

1 Ich habe nur eine Mark, aber für den
  Automaten brauche ich zwei . . .
   a) Marken
   b) Marks
   c) Märker
   d) Märke
   e) Markstücke

2 Was ist nicht richtig?
   a) Sie wartet an der Bushaltestelle.
   b) Sie hat viel eingekauft.
   c) Eine ihrer Tüten ist geplatzt.
   d) Sie trägt den Korb am linken Arm.
   e) Sie ist ziemlich dick.

3 Was kann man nicht sagen?
   a) Ich habe Hunger.
   b) Ich habe Müdigkeit.
   c) Ich habe Lust zu verreisen.
   d) Ich habe Schwierigkeiten.
   e) Ich habe Kopfschmerzen.

4 Welche Antwort ist richtig, wenn die
   Frage lautet: „Sind Sie schon lange
   hier?"
   a) Nein, ich bin erst seit drei Tagen
      angekommen.
   b) Nein, ich bin erst vor drei Tagen
      angekommen.
   c) Nein, ich bin erst nach drei Tagen
      angekommen.
   d) Nein, ich bin erst in drei Tagen
      angekommen.
   e) Nein, ich bin erst an drei Tagen
      angekommen.

5 Er nahm die Brille ab, putzte sie und . . .
 a) setzte sie wieder auf
 b) zog sie wieder an
 c) legte sie wieder auf
 d) nahm sie wieder an
 e) nahm sie wieder auf

*a* ✓

6 Wörter mit der Endung *-ei* sind immer
 feminin, zum Beispiel *die* Bäcker*ei*,
 *die* Schweiner*ei*; trotzdem hat sich hier
 ein neutrales Nomen versteckt.
 Finden Sie es?
 a) Druckerei
 b) Abtei
 c) Polizei
 d) Schmeichelei
 e) Geschrei

*e* ✓

7 „Wann geben Sie mir mein Geld endlich
 wieder?" – „Morgen gebe ich . . .
 bestimmt zurück."
 a) es dir
 b) es Ihnen
 c) Sie es
 d) es Sie
 e) dir es

*b*

8 Warum fährst du denn in den Harz?
 In den Alpen gibt es doch viel . . .
 Berge!
 a) hohe
 b) hohere
 c) hochere
 d) höhere
 e) höchere

*d* ✓

9 „Heute ist der zweite April." – „Ach,
  ich dachte, wir hätten schon den . . .
  April!"
  a) dritten
  b) dreite
  c) drei
  d) dritte
  e) dreiten

10 *Essen* und *hungrig* entsprechen
   einander wie *trinken* und . . .
   a) naß
   b) durstig
   c) feucht
   d) trocken
   e) frisch

11 Ist es erlaubt, einen Freund zu der
   Party . . . ?
   a) mitbringen
   b) bringen mit
   c) mitzubringen
   d) zu mitbringen
   e) zu bringen mit

12 Wie heißt es richtig?
   a) Wer hat das getan?
   b) Wer hat das getun?
   c) Wer hat das getut?
   d) Wer hat das getaten?
   e) Wer hat das getutet?

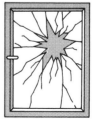

13 Wozu kann man keine Bürste
verwenden?
a) zum Zähneputzen
b) zum Kleiderabbürsten
c) zum Reinigen der Schuhe
d) zum Frisieren
e) zum Geschirrabtrocknen

14 Zwei Leute, die eng nebeneinander
gehen, gehen . . .
a) Seite bei Seite
b) Seite für Seite
c) Seite zu Seite
d) Seite an Seite
e) Seite gegen Seite

15 Wie antworten Sie richtig auf die Frage:
„In welchem Jahr endete der
2. Weltkrieg?"
a) In 1945
b) 1945
c) An 1945
d) Im 1945 Jahr
e) Ins Jahr 1945

# Test 10

1  Hast du dich schon . . . die Zulassung
   zum Studium beworben?
   a) um
   b) für
   c) vor
   d) an
   e) auf

2  Wann bist du denn . . . ?
   a) geoperiert worden
   b) operiert geworden
   c) operieren werden
   d) operiert worden
   e) geoperiert werden

3  Er trägt einen Schal . . .
   a) am Hals
   b) über dem Hals
   c) um den Hals
   d) auf dem Hals
   e) an den Hals

4  Das Gegenteil von *Reichtum* ist:
   a) Armheit
   b) Armtum
   c) Armatur
   d) Armut
   e) Armee

5 Was sagt sie?
   a) Wollt ihr ihnen nicht setzen?
   b) Wollt ihr sich nicht setzen?
   c) Wollt ihr euch nicht setzen?
   d) Wollt ihr sie nicht setzen?
   e) Wollen Sie ihnen nicht setzen?

6 20 Minuten zu Fuß! Gibt es denn
   keinen . . . Weg zum Bahnhof?
   a) nächsten    d) naher
   b) nahe        e) näheren
   c) näher

7 Was ist richtig?
   a) Wirf das weg!
   b) Wegwerfe das!
   c) Werf das weg!
   d) Wegwirf das!
   e) Werfe du das weg!

8 Was stört uns am wenigsten?
   a) eine Fliege im Wein
   b) eine Fliege in der Milch
   c) eine Fliege im Café
   d) eine Fliege im Bier
   e) eine Fliege in der Suppe

9 Der Fremde fragt: „Wo sind meine
   Koffer?" Der Hoteldiener antwortet:
   a) Ich habe seine Koffer in sein Zimmer
      gestellt.
   b) Ich habe ihre Koffer in ihr Zimmer
      gestellt.
   c) Ich habe deine Koffer in dein Zimmer
      gestellt.
   d) Ich habe Ihre Koffer in Ihr Zimmer
      gestellt.
   e) Ich habe eure Koffer in euer Zimmer
      gestellt.

10 Was ist falsch?
   a) Er hat kein Hunger.
   b) Du hast keine Energie.
   c) Ich habe kein Geld.
   d) Wir haben keine Arbeit.
   e) Ihr habt keine Zeit.

11 Helmut hat uns . . . erzählen können.
   a) nichts neues        d) nichts neu
   b) nicht Neu           e) Nichts Neues
   c) nichts Neues

12 Was kann man nicht sagen?
   a) Trinken Sie doch noch ein
      Täßchen Kaffee mit uns!
   b) Trinken Sie doch noch ein
      Weinglas mit uns!
   c) Trinken Sie doch noch eine
      Tasse Tee mit uns!
   d) Trinken Sie doch noch einen
      Kaffee mit uns!
   e) Trinken Sie doch noch ein Bier
      mit uns!

13 Das ist . . .
   a) ein Käfer
   b) eine Fliege
   c) eine Ameise
   d) eine Biene
   e) eine Spinne

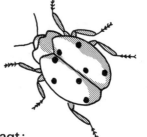

14 Ein Sprichwort sagt:
   „Reden ist Silber, Schweigen ist . . ."
   a) Blech      d) Eisen
   b) Gold       e) Kupfer
   c) Stahl

15 . . . Firma haben Sie bisher gearbeitet?
   a) Bei welcher
   b) In welche
   c) Mit welcher
   d) Bei welche
   e) Mit welche

# Test 11

1 Ich wasche mich nicht gern mit . . .
   Wasser.
   a) kalt
   b) kaltes
   c) kalten
   d) kaltem
   e) kalte

2 Das ist . . .
   a) ein Rufzeichen
   b) ein Ausrufezeichen
   c) ein Berufszeichen
   d) ein Anrufezeichen
   e) ein Abrufszeichen

3 Erst fürchtete ich, zu spät zu kommen,
   aber dann schaffte ich es gerade
   noch . . .
   a) zeitlich        d) rechtzeitig
   b) rechtsseitig    e) recht zeitig
   c) zeitig

4 Machen Sie bitte das Licht aus, . . . !
   a) vor Sie gehen
   b) wann Sie gehen
   c) wenn Sie gehen
   d) als Sie gehen
   e) wie Sie gehen

5 Was sagt die Frau zu dem Jungen ?
   a) Nehm das sofort wieder auf!
   b) Hol das sofort wieder auf!
   c) Heb das sofort wieder auf!
   d) Nimm das sofort wieder ab!
   e) Heb das sofort wieder hoch!

6  . . . ich gehört habe, hat Ruth sich
   scheiden lassen.
   a) Wenn
   b) Was
   c) Wie
   d) Wann
   e) Wo

   $\boxed{c}$ ✓

7  Ich verstehe nicht, . . . Herr Baumann
   gekündigt hat. Hat er denn eine
   bessere Stelle?
   a) weshalb
   b) darum
   c) weil
   d) was für
   e) deswegen

   $\boxed{a}$ ✓

8  Auf dem Markt gibt es frische
   Erdbeeren. Soll ich dir . . . mitbringen?
   a) sie
   b) diese
   c) eine
   d) solches
   e) welche

   $\boxed{e}$ ✓

9  In welchem Satz ist ein Fehler?
   a) Vergiß das Buch nicht wieder!
   b) Klaus wird es bestimmt wieder
      vergessen.
   c) Er vergaß das Buch zu Haus.
   d) Nun hat er es schon wieder
      vergegessen.
   e) Ihr vergeßt doch auch mal etwas.

   $\boxed{d}$ ✓

10 *Der Sessel, der Mantel, der Himmel*
und auch die folgenden Wörter auf
-*el* sind maskulin – bis auf eine
Ausnahme. Finden Sie sie ?
   a) Schlüssel
   b) Flügel
   c) Klingel
   d) Deckel
   e) Henkel

11 Was ist falsch ?
   a) Mutters Brille
   b) Gottes Wege
   c) Friedrichs Schillers Werke
   d) Deutschlands Hauptstadt
   e) Monikas Beruf

12 Was sagt der junge Mann ?
   a) Fräulein Schmidt, ich liebe dich !
   b) Ursula, ich liebe dir !
   c) Fräulein Schmidt, ich liebe dir !
   d) Ursula, ich liebe Ihnen !
   e) Ursula, ich liebe dich !

13 Frau Großkopf fragt ihren Mann :
   „Wie gefällt dir denn die Krawatte,
   die ich dir geschenkt habe ?"
   Er antwortet :
   a) Oh, ich freue mich sehr darauf.
   b) Oh, ich freue mich sehr damit.
   c) Oh, ich freue mich sehr darüber.
   d) Oh, ich freue mich sehr darum.
   e) Oh, ich freue mich sehr dabei.

14 Was ist keine Farbe?
    a) violett    d) flau
    b) braun    e) gelb
    c) orange

15 Was ist das?
    a) ein Huhn    d) eine Gans
    b) ein Hahn    e) eine Ente
    c) ein Schwan

---

# Test 12

1 Etwas leermachen heißt *leeren*,
  das Gegenteil davon ist:
    a) vollen    d) vollenden
    b) völlern    e) füllen
    c) fällen

2 Was steht auf dieser
  Osterkarte?
    a) Frohe Oster!
    b) Frohen Ostern!
    c) Frohes Oster!
    d) Froh Ostern!
    e) Frohe Ostern!

3 Im Hotel: „Könnten Sie bitte für frische
   Handtücher sorgen? Die in unserem
   Zimmer sind . . .''
   a) verbraucht
   b) alt
   c) gebraucht
   d) gealtert
   e) veraltet

   $\boxed{c}$ ✓

4 Bis auf diesen Glastisch sind alle meine
   Möbel aus . . .
   a) Wald
   b) Baum
   c) Brett
   d) Balken
   e) Holz

   $\boxed{e}$ ✓

5 Inge hat gesagt, . . .
   a) daß kann sie erst morgen
      kommen
   b) daß erst morgen kommen kann
   c) daß sie kann erst morgen
      kommen
   d) daß sie erst morgen kommen kann
   e) daß sie erst morgen kann
      kommen

   $\boxed{d}$ ✓

6 Er drehte den Wasserhahn auf und . . .
   a) waschte sich die Hände
   b) wuchs sich die Hände
   c) wäschte sich die Hände
   d) wusch sich die Hände
   e) wasch sich die Hände

   d

   $\boxed{c}$ ✗

7 Morgen fahre ich nach Haus! Ich freue
mich schon ... Wiedersehen mit
meiner Familie!
a) auf das
b) über das
c) auf
d) über dem
e) an das

8 Bitte sei vorsichtig, sonst ... das Glas
kaputt!
a) wird   d) kann
b) geht   e) macht
c) fällt

9 Das ist ...
a) ein Bügeleisen
b) ein Eisenbügel
c) ein Bügelbrett
d) ein Steigbügel
e) ein Kleiderbügel

10 „Wo möchtest du denn sitzen?" –
Die richtige Antwort ist:
a) Sitzen wir uns doch an dem
Fenster.
b) Setzen wir sich doch an das
Fenster.
c) Sitzen wir uns doch an das
Fenster.
d) Setzen wir uns doch an dem
Fenster.
e) Setzen wir uns doch an das
Fenster.

11 . . . beschäftigst du dich denn am
liebsten in deiner Freizeit?
   a) Wofür
   b) Womit
   c) Wozu
   d) Worin
   e) Wobei

b

e ×

12 Ich würde gern mit dir in die Diskothek
gehen, aber ich . . . heute noch viel
zu tun.
   a) brauche
   b) muß
   c) habe
   d) möchte
   e) will

c ✓

13 Gestern glaubte ich alles . . ., aber
heute beim Test konnte ich wieder
gar nichts mehr.
   a) verstanden
   b) zu verstanden haben
   c) verstanden habe
   d) verstehen
   e) verstanden zu haben

e ✓

14 Was schlägt er in die Wand?
   a) eine Nadel
   b) eine Schraube
   c) einen Haken
   d) einen Nagel
   e) einen Nabel

d ✓

15 Jetzt bekommst du doch kein Brot
mehr! Die Geschäfte . . . ja schon
seit einer Stunde geschlossen!
- a) sind
- b) wurden
- c) bleiben
- d) werden
- e) waren

# Test 13

1 Sie verließ eilig das Haus, . . .
- a) um sich noch einmal umzusehen
- b) statt sich noch einmal umzusehen
- c) weder sich noch einmal umzusehen
- d) ohne sich noch einmal umzusehen
- e) dabei sich nicht noch einmal
  umzusehen

2 Das Gegenteil von *meistens* ist:
- a) wenigstens
- b) viel
- c) mindestens
- d) oft
- e) selten

3 Was können wir nicht?
- a) Licht einschalten
- b) Licht machen
- c) Licht anmachen
- d) Licht einmachen
- e) Licht anzünden

4 Wenn jemand DM 2,95 bezahlen muß
und einen Hundertmarkschein hinlegt,
sagt man ihm:
 a) Haben Sie es nicht zerkleinert?
 b) Haben Sie es nicht weniger?
 c) Haben Sie es nicht kleinlich?
 d) Haben Sie es nicht kürzer?
 e) Haben Sie es nicht kleiner?

e ✓

5 Weißt du, wie dieses Wort . . .
 a) schreibt
 b) geschrieben wird
 c) man schreiben muß
 d) ist zu schreiben
 e) man muß schreiben

b ✓

6 Wenn wir an eine Firma schreiben,
beginnen wir gewöhnlich so:
„Sehr . . . Damen und Herren!"
 a) geherte
 b) liebe
 c) geehrte
 d) geliebte
 e) verehrte

c ✓

7 Ich habe mein Heft vergessen. . . . . Sie
mir wohl ein Blatt Papier geben?
 a) Könnten
 b) Hätten
 c) Wollten
 d) Dürften
 e) Wären

a ✓

8 Der Lehrer schreibt das Wort . . .
Wandtafel.
  a) an der
  b) auf die
  c) in der
  d) auf der
  e) an die

*e*

 *d* X

9 Was sagt er?
  a) Ich habe mich gekühlt.
  b) Ich habe mich gekältet.
  c) Ich habe mich erkältet.
  d) Ich habe mich erkühlt.
  e) Ich habe mich verkältet.

 *c* ✓

10 Wenn du nie einen Mantel anziehst,
   mußt du ja krank . . .
  a) gehen
  b) werden
  c) bekommen
  d) fallen
  e) kriegen

 *b* ✓

11  Die alte Frau ist ganz allein.
    Von ihrer Familie lebt . . . mehr.
    a) nicht
    b) keine
    c) nirgend
    d) nichts
    e) niemand

12  Leider kann ich noch nicht sagen,
    wann . . .
    a) werde ich nach Berlin kommen
    b) ich nach Berlin kommen werde
    c) ich werde nach Berlin kommen
    d) ich nach Berlin werde kommen
    e) ich werde kommen nach Berlin

13  Finden Sie nicht auch, daß Kinder lieber
    Obst als . . . essen sollten?
    a) Süßigkeiten
    b) Süßheiten
    c) Süßstoff
    d) Süßzeug
    e) Süßsachen

14  ,,Gefällt Ihnen dieses Bild?'' –
    ,,Ach wissen Sie, von . . . Malerei
    verstehe ich gar nichts!''
    a) modern
    b) modernem
    c) moderne
    d) moderner
    e) modernen

15 Welches Wort bedeutet dasselbe wie
*noch einmal*?
a) danach     d) früher
b) wieder     e) bald
c) plötzlich

---

# Test 14

---

1 Was kann man nicht *halten*?
a) ein Versprechen
b) den Mund
c) eine Rede
d) die Zunge
e) eine Ansprache

2 Das ist . . .
a) ein Zerreißkalender
b) ein Abrißkalender
c) ein Reißkalender
d) ein Wegwerfkalender
e) ein Abreißkalender

3 „Machen Sie doch bitte das Licht aus,
wenn Sie weggehen! Ich habe Sie
schon mehrmals . . . gebeten!"
a) für das
b) dafür
c) sowas
d) darum
e) wieso

4 Herr Klein sagt: „Schönes Wochenende, Herr Neumann!" Herr Neumann
  antwortet:
  a) Danke, gleichfalls!
  b) Danke, auch Sie!
  c) Danke, ebenso!
  d) Danke, Sie auch!
  e) Danke, wie Sie!

*a* ✓

5 Am besten machen wir die Party bei mir.
  Ich habe doch das . . . Zimmer.
  a) größeste
  b) am größten
  c) größten
  d) größte
  e) größtest

*d*
*c* ✗

6 Zucker ist süß, eine Zitrone ist . . .
  a) sauer    d) scharf
  b) salzig   e) fade
  c) bitter

*a* ✓

7 Welches Wort paßt nicht in die Reihe?
  a) Glas
  b) Flasche
  c) Holz
  d) Metall
  e) Kunststoff

*b* ✓

8 Was ist ein Teil des Gesichts?
  a) der Knöchel
  b) die Ferse
  c) der Nacken
  d) die Stirn
  e) die Hüfte

*d* ✓

9 Wer keine Verwandten und Freunde hat,
   ist sehr . . .
   a) einseitig
   b) einfach
   c) einsam
   d) einig
   e) einfältig

10 Neben der Tasse steht . . .
   a) der Milchkrug
   b) die Milchdose
   c) die Milchflasche
   d) die Milchkanne
   e) die Milchtasse

11 Weil der Regen aufgehört hatte, dachte
   ich nicht mehr an meinen Schirm.
   Erst zu Haus merkte ich, daß ich ihn
   im Bus . . .
   a) vergaß
   b) vergessen habe
   c) vergißt
   d) vergessen hatte
   e) vergesse

12 Wenn ich den Wagen kaufen will,
   muß ich bei der Bank einen Kredit . . .
   a) abholen
   b) angeben
   c) aufnehmen
   d) abheben
   e) anschreiben

13 Das ist . . .
   a) ein Kleiderhaken
   b) ein Anhänger
   c) ein Aufhänger
   d) ein Kleiderbügel
   e) ein Hängeschrank

14 Wie lange hast du denn in Deutschland
   . . . ?
   a) geblieben
   b) verbracht
   c) gestanden
   d) gewesen
   e) gelebt

15 Morgen gebe ich eine kleine Party.
   Es wäre nett, . . . Sie auch kämen.
   a) wann      d) wenn
   b) ob        e) damit
   c) daß

# Test 15

1 Was kann man nicht sagen ? –
   ,,Unser Hauswirt ist ein Mann, . . .''
   a) vor dem sich alle Kinder fürchten
   b) den alle Kinder fürchten
   c) der von allen Kindern gefürchtet wird
   d) dem sich alle Kinder vor fürchten
   e) der in allen Kindern Furcht erregt

2 Sie schaut dauernd in den Spiegel.
  Sie ist sehr . . .
  a) eifrig
  b) eitel
  c) eifersüchtig
  d) eitrig
  e) eisig

3 Was tut er ? – Er hilft ihr . . .
  a) an den Mantel
  b) in den Mantel
  c) bei dem Mantel
  d) in dem Mantel
  e) mit dem Mantel

4 „Nur wer im . . . lebt, lebt angenehm",
  heißt es in B. Brechts „Dreigroschen-
  oper". Finden Sie das fehlende Wort?
  a) Wohlstand
  b) Wohlfahrt
  c) Wohlbehagen
  d) Wohllaut
  e) Wohlwollen

5 Wo steckt der Fehler?
   a) Anja kommt oft zu spät.
   b) Kommst du denn immer pünktlich?
   c) Ich bin noch nie zu spät gekommen.
   d) Wie ist es möglich, immer pünktlich
      zu kommen?
   e) Einmal kamm ich fast zu spät.

   _e_ ✓

6 Sie nimmt das Handtuch und . . .
   a) trockt sich ab
   b) abtrocknet sich
   c) trocknet sich ab
   d) trockent sich ab
   e) abtrockt sich

   _c_ ✓

7 Was paßt nicht in die Reihe?
   a) hören      d) essen
   b) fühlen     e) riechen
   c) sehen

   _d_ ✓

8 Einige Leute ärgerten sich, weil im Bus
   nicht . . .
   a) rauchen durften
   b) geraucht durfte
   c) rauchen werden dürfen
   d) geraucht werden dürfen
   e) geraucht werden durfte

   _e_
   _b_ ✗

9 In diesem Saal, meine Damen und
   Herren, sehen Sie nun die bedeutend-
   sten . . . unseres Museums.
   a) Kunststücke
   b) Künstlichkeiten
   c) Kunstwerke
   d) Künste
   e) Kunstgewerbe

   _c_ ✓

10 Die Stadt, . . . ich komme, hat nur
60 000 Einwohner.
   a) wo
   b) woraus
   c) die
   d) davon
   e) aus der

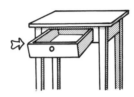

11 Das ist . . .
   a) eine Schublade
   b) ein Zieher
   c) ein Ausziehtisch
   d) ein Auszug
   e) ein Schieber

12 Er hat den Jungen . . . geschlagen.
   a) grün und gelb
   b) grün und blau
   c) schwarz und blau
   d) blau und rot
   e) blau und schwarz

13 Was hat keine Schale?
   a) das Ei
   b) die Banane
   c) der Baum
   d) die Nuß
   e) die Muschel

14 Wenn jemand nicht verheiratet ist,
nennt man ihn . . .
   a) ledig
   b) einfach
   c) einsam
   d) einig
   e) heiratslos

15 *Fritz* ist eine Abkürzung von:
   a) Fridolin
   b) Friedrich
   c) Friederike
   d) Elfriede
   e) Winfried

# Antworten

# Antworten

*In den Erläuterungen werden Pluralformen in Klammern angegeben, z. B.*

(-)  = Plural wie Singular: der Flügel – die Flügel
(")  = Plural wie Singular mit Umlaut: der Schnabel – die Schnäbel
(-n) = Plural wie Singular + Endung -n: die Dose – die Dosen
("er) = Plural wie Singular mit Umlaut und Endung -er: der Mann – die Männer

## Test 1

1 **c.** Bei Ländernamen mit Artikel gibt man die Richtung mit *in* an: *in die Schweiz, in den Iran;* bei Ländernamen ohne Artikel mit *nach: nach Frankreich, nach England.*

2 **c.** *Kohl, grüne Bohnen, Gurken* und *Spinat* sind verschiedene Arten von *Gemüse.*

3 **a.** Ein *Schriftsteller* schreibt Bücher; *Buntstifte* benutzt man zum Malen in verschiedenen Farben.

der Kugelschreiber (-)

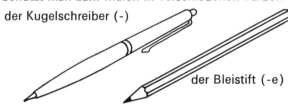

der Bleistift (-e)

4 **d.** Ein *Feiertag* ist ein Tag, an dem nicht gearbeitet wird. *Schalttag* ist der 29. Februar in einem Schaltjahr (= Jahr mit 366 Tagen).

5 **d**

6   **e.** = *er ist bei seinem Onkel zu Hause; mit seinem Onkel (sprechen); zu seinem Onkel (gehen);* b und d gibt es nicht.

7   **d.** Mögliche Fragen zu a: *Wohin gehen Sie?;* zu b: *Wie ist die Straße?;* zu c: *Wie schnell gehen Sie?;* zu e: *Wie kommen Sie dorthin?*

8   **b.** Richtig: *sechzehn.*

9   **e**

10   **d.** Mit *Tinte* schreibt man.

11   **a.**

der *Flügel* (-)

der *Schnabel* ('')

das *Klavier* (-e)

das *Ei* (-er)

die *Feder* (-n)

der *Flügel* (-)

12   **b.** Einen *Unterteller* stellt man unter eine Kompott-schale; eine Kaffeekanne, ein Weinglas, oder ein Blumentopf steht auf einem *Untersetzer;* a und d gibt es nicht.

13   **e.** Es heißt: *das neue* Kleid, aber *ein neues* Kleid.

14   **b**

15   **b.** Ein Test oder eine Aufgabe kann *schwierig* sein; eine Reise ist *beschwerlich*, wenn sie besonders anstrengend ist; *stark* und *kräftig* muß man sein, um einen *schweren* Koffer zu tragen.

## Test 2

1   **d**

2   **a.** *Unfrei* ist ein Mensch, der nicht sagen darf, was er denkt. Sie hatten ihre Plätze *eingenommen.* Er hatte ihr einen Platz *freigehalten.*

3    **a.** Ich habe ihn *vor* zwei Tagen kennengelernt.
(wann? – *vor* . . . ; wie lange? – *seit* . . .)

4    **c.** Aber: Was *hältst* du *von* dies*em* Kleid?
Wie *gefällt dir* dies*es* Kleid? Was *denkst* du *über*
dies*es* Kleid? Wie *steht mir* dies*es* Kleid?

5    **b.** *Wohin* fährst du im Urlaub? – *Nach* Bayern.
*Wo* machst du Urlaub? – *In* Bayern.

6    **e.** Ein Auto hat *Scheinwerfer*. Ein *Warnlicht* warnt
vor einer Gefahr. a und b gibt es nicht.

7    **d.** Ab 10 DM gibt es nur Geldscheine: Zehn-,
Zwanzig-, Fünfzig-, Hundert-, Fünfhundert- und
Tausendmarkscheine.

8    **c**

9    **a**

10   **c.** Töpfe, Dosen und Kannen verschließt man mit
einem *Deckel*. *Griffe* sind zum Festhalten oder
Tragen da. Ein *Händler* (Kaufmann) handelt mit
Waren. *Händel* (meistens im Plural) = Streit.

11   **c.** Auf *mit* folgt immer der Dativ.

12   **d.** = . . . kein*en* (Kaffee) mehr. Aber: . . . kein*e*
(Tasse) mehr.

13   **a.** *sich interessieren für* + Akkusativ.

14   **e.** Aber: Warum stehst *du* denn? Setz *dich* doch!

15   **e.** *Gebäck* kauft man beim Bäcker. Koffer,
Taschen, Rucksäcke und *Seesäcke* sind *Gepäck*-
stücke.

## Test 3

1    **d.** Gegensätze: *schwarz* – weiß; *unklar* – klar;
*dunkel* – hell; *häßlich* – schön.

2    **b.** Beim Bäcker bekommt man *Kuchen*. *Küchen*
ist der Plural von *Küche*.

3    **e.** Man kann sagen: *Das    kann ich leider nicht.*
                *Ich     kann das leider nicht.*
                *Leider kann ich das    nicht.*

4    **c.** *Wo lag* er? – *Im* Bett. *Wohin legte* er *sich*? –
*Ins* Bett. Ich gehe selten vor Mitternacht *zu* Bett.

5    **b.** Richtig: Wir haben täglich fünf *Stunden*
     Unterricht.

6    **d**

7    **d.** Ich habe keine Zeit *für* dich; . . . *für* ein
     Gespräch; . . . *zum L*esen.

8    **b.** *Wohin* sind Sie gefahren? – *In die* Schweiz.
     Aber: *Nach* Italien. (s. Test A1, 1) *Wo* waren Sie im
     Urlaub? – *In der* Schweiz.

9    **a.** Möglich ist auch: *Was hat sich denn hier
     ereignet?*

10   **b.** Mit einem *Handtuch* trocknet man sich die
     Hände ab; mit einem *Tischtuch* deckt man den
     Tisch; ein *Staubtuch* ist ein trockenes, ein
     *Wischtuch* ist ein feuchtes Tuch zum Sauber-
     machen.

11   **b**

12   **d.** Der entsprechende Jungenname ist *Peter*.

13   **c**

14   **a.** Richtig: . . . *in der Nacht.*

15   **c.** *Der Magen* ist ein Körperorgan. a, b, d und e
     sind als Nomen (Substantiv) gebrauchte Infinitive,
     die immer Neutrum sind.

## Test 4

1    **d.** . . . *in der Nähe vom Bahnhof;* . . . *nahe beim
     Bahnhof;* . . . *nahe am Bahnhof.*

2    **e**

3    **c**

4    **d.** Ich *habe mich ins* Bett *gelegt.* Ich *bin im* Bett
     *geblieben.* Ich *habe im* Bett *bleiben müssen.*
     Ich *habe ins* Bett *gehen müssen.* Ich *habe im* Bett
     *gelegen.* Ich *bin* noch nicht *im* Bett *gewesen.*

5    **d.** *Er* geht zu *seinem* Freund; . . . zu *seiner*
     Freund*in. Sie* geht zu *ihrem* Freund; . . . zu *ihrer*
     Freund*in.*

6    **b.** Aus *Mehl* bäckt man Brot oder Kuchen.

7 **e.** ... noch *lieber* (*als* Wein). Aber: Sekt trinke
ich *am liebsten*.

8 **a.**
in der Ecke   in die Ecke      um die Ecke

9 **d**                        an der Ecke        vor der Ecke
10 **d.** Frage: *Gibst du* mir bitte (mal) die Zeitung*?*
       Bitte: *Gib*    mir bitte (mal) die Zeitung*!*
11 **a**
12 **d**
13 **c**
14 **e.** *das* Messer.
15 **d.** Richtig: ... *las* ich ...

## Test 5

1 **d.** Sie *stellt* die Teller *auf den* Tisch. (wohin?)
Die Teller *stehen auf dem* Tisch. (wo?)
2 **e.** Kinder sagen meistens *Mutti und Vati* (oder
auch *Mamma/Mammi und Pappa/Pappi*).
3 **b.** Wir *sind am* Meer. Wir *baden im* Meer. Wir
*gehen ins* Meer.
4 **b.** Früher benutzte man dieses Wort als Schimpf-
wort für eine Frau: „So ein freches Frauenzimmer!''
5 **d.** Ein *Kocher* ist ein kleiner Herd, meistens nur
für einen Topf. Eine *Herde* Schafe. *Koch* und
*Köchin* kochen.
6 **c**
7 **d**
8 **c.** Ich *kam vor* einer Woche hier *an*. (wann?)
*Seit* einer Woche *bin* ich hier. (wie lange?)
9 **e.** *mitbringen* ist trennbar:
Natürlich *bringe* ich es dir        *mit*.
Ich        *bringe* es dir natürlich *mit*.

10 **a.** Wenn sie die Uhr *ansieht* oder *betrachtet*, interessiert sie die Uhr, nicht die Zeit. Man *beobachtet* Vorgänge, z. B. den Sonnenaufgang; man *betrachtet* ein Bild, eine Landschaft. Jemandem *nachsehen* = sehen, wie er sich entfernt.

11 **e.** *danken für* + Akkusativ.

12 **c**

13 **e.** . . . *so gut*, *wie* ich gedacht hatte.
. . . *besser*, *als* ich gedacht hatte.

14 **b.** Möglich ist auch: *sandte* (von *senden*).

15 **c**

## Test 6

1 **d.** Er ist *ein* bekannt*er* Wissenschaftler – auch als Nomen behält das Adjektiv seine Endungen: *der* Bekannte meiner Schwester, *ein* alt*er* Bekannt*er* von mir, ich wohne *bei einem* Bekannt*en*. Ebenso: *der* Verwandte – *ein* Verwandt*er*. Sie hatte alle *ihre* Verwandt*en* und Bekannt*en* eingeladen.

2 **c.** *Grüezi* sagt man in der Schweiz. *Sei (mir) gegrüßt!* ist sehr feierlich. *Großer Gott!* und *Lieber Gott!* sind Ausrufe des Schreckens.

3 **d.**

die *Büchse* (-n)
oder die *Dose* (-n)

der *Korb* ("e)

In *Containern* werden Waren mit der Bahn, dem Lastzug oder dem Schiff transportiert.

4 **c.** . . . keinen bess*e*ren . . . *als* ihn.
5 **d.** *Obwohl er* so viel *getrunken hat,* will er fahren.
   *Trotz seiner Trunkenheit* will er fahren.
6 **b**
7 **e**
8 **d.** Das doppelte *r* macht das *i* kurz; die anderen
   vier Wörter haben langes *i.*
9 **e.** Richtig: ein*en* Tag.
10 **b.**

der *Kinderwagen* (-)      der *Güterwagen* (-)

Einen *Einkaufswagen* benutzt man im Supermarkt.
Im *Packwagen* eines Eisenbahnzuges werden
Pakete und Reisegepäck transportiert.
11 **d.** *bringen, brachte, gebracht.*
12 **d.** Sie setzte sich *auf das* Fahrrad.
13 **e**
14 **c**
15 **e**

## Test 7

1 **d.** *sich bewerben um* + Akkusativ.
2 **e.** Nach unbestimmten Pronomen (alles, nichts,
   etwas, viel, manches usw.) schreibt man Adjektive
   groß: das Gute – *alles Gute.*
   Beachten Sie:

| *das* | Gute | *etwas* Gutes |
| *alles* | Gute | *nichts* Gutes |
| *manches* | Gute | *manch* Gutes |
| *vieles* | Gute | *viel* Gutes |
| | | *(k)ein* Gutes |

3 **c**

4    **a.** Frage: *Nimmst du* dir noch ein Stück*?*
       Bitte: *Nimm*      dir noch ein Stück*!*

5    **d.** Größere Häuser haben mehrere *Stockwerke*
       oder *Etagen.* Unten ist das *Erdgeschoß,* darüber
       der erste *Stock* oder die erste *Etage.* „Das Haus ist
       drei *Stock* (Plural!) hoch." *Stock* in Satz d
       bedeutet Stütze beim Gehen; Plural: *Stöcke.*

6    c

7    **b.** *Speck* nennt man das Fettgewebe unter der
       Haut, besonders vom Schwein.

8    c

9    **a.** Langes *u/ü:* der F*u*ß, die F*ü*ße. Aber kurzes *u/ü:*
       der G*u*ß, die G*ü*sse; der Fl*u*ß, die Fl*ü*sse; der K*u*ß,
       die K*ü*sse; der Schl*u*ß, die Schl*ü*sse.

10    **e.** der *Kamm* ("e)         die *Bürste* (-n)
11    b
12    e
13    d
14    a
15    d

## Test 8

1    **c.** *ein* Deutsch*er, aber: der* Deutsch*e;* man
       dekliniert dieses Nomen wie ein Adjektiv.
       Aber: ein Türke, der Türke; ein Schwede, der
       Schwede; ein Chinese, der Chinese usw.
       Diese Nationalitätsbezeichnungen gehen nach der
       schwachen Maskulindeklination.

2    **e.** Auch möglich: *hinab* und umgangssprachlich:
       *runter.*

3    **b.** *oder* verbindet hier 2 Fragen: Hat sie den Zug
       noch erreicht*? oder:* War er schon abgefahren*?*

4    **e.** *helfen* ist hier wie ein Modalverb verwendet.
       Es steht aber auch in diesem Fall mit dem Dativ.

*Wem* hilft sie? Ihr*er* Mutter.
Vorsicht! Satz c ist sehr kannibalisch!

5  **a**
6  **e**
7  **d.** *Darf Ihr kleiner Sohn schon allein gehen?*
*Will Ihr kleiner Sohn . . . gehen?*
*Wollen Sie, daß Ihr kleiner* Sohn . . . *geht?*
*Kann Ihr kleiner* Sohn . . . *gehen?*
*Erlauben Sie, daß Ihr kleiner* Sohn . . . *geht?*
8  **a**
9  **b.** Richtig: Er hat das nicht tun *wollen*. Nur wenn
das Modalverb allein steht, bildet es ein normales
Perfekt, sonst steht es im Infititiv: Ich habe meine
Mutter *einladen wollen*, aber mein Mann hat es
nicht *gewollt*.
10 **b**
11 **c.** *Feiertag* = Tag, an dem im ganzen Land wie
an einem Sonntag die Arbeit ruht. *Ferien* haben
Schüler und Studenten, *Urlaub* die Angestellten
und Arbeiter. Der *Freitag* ist der fünfte Wochentag.
Ich muß samstags arbeiten, aber Montag ist mein
*freier Tag* (nicht Freiertag!).
12 **e.** *Sich neigen* und *sich beugen* benutzen wir mit
Vorsilben oder Ergänzungen: Sie *beugte sich vor;*
sie *beugte sich über* das Geländer. Sie *verneigte
sich* vor dem König. Der Baum *biegt sich* im Sturm.
13 **b.** Aber: Du fängst an!
14 **a.** Das Möbelstück ist der *Schrank!* Die *Schranke*
ist eine Absperrung an Bahnübergängen oder an
einer Grenze.

 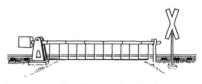

der *Schrank* ("e)      die *Schranke* (-n)

15 **a.** *einst* = früher; *kürzlich* = vor kurzer Zeit;
*wieder* = noch einmal.

## Test 9

1   **e.** *Marken* = Briefmarken, Rabattmarken oder Gebührenmarken.

2   **d.** Sie trägt den Korb am *rechten* Arm.

3   **b.** Richtig: Ich *bin müde.*

4   **b.** Aber: Ich bin *seit* drei Tagen hier. Wann kommt er denn? *In* drei Tagen.

5   **a.** Brillen, Hüte und Mützen zieht man nicht an, sondern man setzt sie auf.

6   **e.** Das Ge*schrei* = lautes Schreien; *ei* ist also hier keine Endung.

7   **b.** Bitte beachten Sie folgende Regel:
Ich gebe *dem Mann das Geld.*
                     Nomen: Dativ vor Akkusativ
Aber:
Ich gebe *es*    *ihm.*
                     Pronomen: Akkusativ vor Dativ
Ich gebe *ihm  das Geld.*   } Pronomen
Ich gebe *es    dem Mann.*  } vor Nomen

8   **d.** Der Berg ist *hoch.* Das ist ein *hoher* Berg. Hier gibt es *höhere* Berge. Unsere Berge sind am *höchsten.*

9   **a**

10  **b**

11  **c.** Bei trennbaren Verben steht das *zu* immer zwischen Vorsilbe und Verb.

12  **a.** *tut, tat, hat getan.*

13  **e.** *Bürsten*

 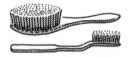

Das Geschirr trocknet man mit einem Tuch ab.

14  **d**

15  **b.** Entweder: *im Jahr 1945* oder nur *1945.*
Also: Goethe starb im Jahr 1832. Oder: Goethe starb 1832.

## Test 10

1 **a.** *sich bewerben um* + Akkusativ.
2 **d.** Verben mit der Endung *-ieren* haben im Perfekt
nie die Vorsilbe *ge-*. *werden* bekommt im Passiv
ebenfalls kein *ge-*. Also: Er ist geheilt *worden*.
Aber: Er ist gesund *geworden*. (*gesund werden*
ist kein Passiv!)
3 **c**
4 **d.** Die Wörter *Armtum* und *Armheit* gibt es nicht.
Die *Armee* = das Heer; die *Armatur(en)* = Bedie-
nungsvorrichtung(en) an technischen Geräten
und Maschinen, z. B. das *Armaturen*brett im Auto.
5 **c**
6 **e.** . . . *keinen näheren* (= kürzeren) Weg (*als*
diesen); aber: Zeigen Sie mir *den nächsten* Weg
zum Bahnhof!
7 **a.** Trennbare Verben bleiben auch im Imperativ
getrennt.
8 **c.** Eine Fliege im *Kaffee* würde uns genauso
stören wie eine in der Suppe oder im Bier, aber das
*Café* ist das Kaffeehaus, in dem wir sitzen und
unseren Kaffee trinken.
9 **d**
10 **a.** Richtig: Er hat kein*en* Hunger.
11 **c.** siehe Test 7, 2.
12 **b.** Das *Weinglas* ist das Trinkgefäß. Man trinkt ✓
ein *Glas Wein*.
13 **a.**

die *Fliege* (-n)

die *Biene* (-n)

die *Ameise* (-n)

die *Spinne* (-n)

14 **b**
15 **a**

## Test 11

1   **d.** *mit* steht immer mit dem Dativ.
    Wenn kein Artikel vor dem Adjektiv steht, endet es
    wie der Artikel.
    Beispiel: Hier ist   *das* Wasser.
            Hier ist kalt*es* Wasser.
            Da steht ein Krug mit   *der* Milch.
            Da steht ein Krug mit kalt*er* Milch.
    Ausnahme: Im Genitiv Singular maskulin und
    neutral ist die Adjektivendung nicht -*es* sondern
    -*en*, z. B.             *das* Gewissen
            Er tat es gut*en* Gewissens.

2   **b.** Das *Rufzeichen* = Signal, das man hört, wenn
    man den Telefonhörer zum Wählen abhebt.
    Die anderen Wörter gibt es nicht.

3   **d.** *rechtzeitig* = bevor es zu spät war. Bis zum 31.
    soll die Arbeit fertig sein? Ich weiß nicht, ob ich
    das *zeitlich* schaffen kann. – *Rechtsseitig* = auf der
    rechten Seite: Er war rechtsseitig gelähmt. – „Du
    kommst ja heute so *zeitig*, Peter!" – „Ja, die Schule
    war eine Stunde früher aus." – Komm bitte *recht
    zeitig* (= möglichst bald), damit wir viel Zeit zum
    Spielen haben.

4   **c.** *Wann* mach*t* er es aus?   – *Wenn* er geht.
    *Wann* mach*te* er es aus? – *Als* er *ging*.

5   c

6   c

7   **a.** *Weshalb* hat er gekündigt? – *Weil* er eine
    bessere Stelle hat.

    Er hat eine bessere Stelle, $\frac{deshalb}{darum}$ hat er gekündigt.

8   e

9   **d.** Richtig: *vergessen*.

10   **c.** *die Klingel* (-n), ebenso z. B. die Insel (-n),
    die Schüssel (-n), die Nadel (-n), die Zwiebel (-n),
    die Gabel (-n); aber: *der Schlüssel* (-), ebenso z. B.
    der Flügel (-), der Deckel (-), der Henkel (-) ohne
    -n im Plural!

11 **c.** Richtig: *Friedrich Schillers Werke.*

12 **e**

13 **c.** Man freut sich *über* etwas, was man schon hat; man freut sich *auf* etwas, was erst kommen wird.

14 **d.** *flau* = abgestanden, schal, kraftlos, geschmacklos; ähnlichklingende Farbe: blau.

15 **e.** = die *Ente* (-n).

der *Hahn* ("e)

der *Schwan* ("e)

die *Gans* ("e)

das Huhn ("er)

## Test 12

1 **e.** *fällen* = zum Fallen bringen: einen Baum fällen; *vollenden* = fertigmachen; die beiden anderen Verben gibt es nicht.

2 **e.** *Ostern* ist Plural, ebenso *Weihnachten* und *Pfingsten*, also alle drei Hauptfeste des Christentums.

3 **c.** *gebraucht* = benutzt; was *verbraucht* ist, ist weg oder kaputt; *alt* ist das Gegenteil von „jung" oder „neu"; *gealtert* ist, wer alt geworden ist (Großvater ist im letzten Jahr doch sehr gealtert.); *veraltet* = jetzt nicht mehr üblich, nicht mehr in Gebrauch.

4 **e.** Im *Wald* stehen *Bäume*. Aus ihrem *Holz* macht man *Balken* und *Bretter*. *Holz* ist also das Material.

5 **d.** Sätze, die mit *daß* beginnen, sind Nebensätze. In Nebensätzen steht das Verb am Ende:

Sie *kann* erst morgen
kommen.

Inge hat gesagt, *daß* sie    erst morgen
kommen *kann*.

6 **d.** waschen, *wusch*, hat gewaschen; aber: wachsen, *wuchs*, ist gewachsen (wachsen = größer werden).

7 **a.** Vgl. 11, 13. Man *freut sich auf* etwas, was erst kommt.
*Auf Wiedersehen* (ohne „das") sagt man nur als Gruß beim Fortgehen.

8 **b.** *kaputtgehen* oder *entzweigehen*.

9 **a.**

der *Steigbügel* (-)

das *Bügelbrett* (-er)    der *Kleiderbügel* (-)

10 **e.** *(sich) setzen* + Präposition mit Akkusativ.

11 **b.** *sich beschäftigen mit* + Dativ.

12 **c.** Ich *habe* viel *zu tun* = Ich *muß* viel *tun*.

13 **e.** Ich glaubte, *daß* ich es verstanden *hatte*.
Ich glaubte,    es verstanden *zu haben*.

14 **d.**

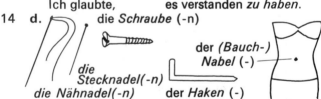

die *Schraube* (-n)

der *(Bauch-)*
*Nabel* (-)

die
*Stecknadel(-n)*
die *Nähnadel(-n)*    der *Haken* (-)

15 **a.** Sie *wurden vor* einer Stunde geschlossen.
Sie *bleiben bis* zum nächsten Morgen geschlossen.
Sie *werden um* 18.00 Uhr geschlossen.
Sie *waren* einen Tag lang geschlossen.

**Test 13**

1  **d**
2  **e.** *wenigstens* = *mindestens*, Gegenteil:
   höchstens; *viel*, Gegenteil: wenig; *oft*, Gegenteil:
   manchmal, selten.
3  **d.** Licht, Radio, den Elektroherd, einen
   Kassettenrecorder *einschalten;* Kerzen, Petroleum-
   lampen, Kaminfeuer *anzünden;* Licht *(an)machen*
   für alle Arten von Beleuchtung.
4  **e.** Die Mutter *zerkleinert* dem Kind das Essen.
   Sie hat *weniger* Geld als er. Wer unwichtige Dinge
   wichtig nimmt, ist *kleinlich.* Die Tage werden im
   Herbst *kürzer.*
5  **b.** Weißt du, wie man es schreibt?
                     wie man es schreiben muß?
                     wie es zu schreiben ist?
6  **c**
7  **a**
8  **e.** Wir schreiben *an die* Tafel, *in das* Heft, *auf das*
   Papier (wohin?); dann stehen die Worte *an der*
   Tafel, *in dem* Heft, *auf dem* Papier (wo?).
9  **c**
10 **b.** Aber: eine Erkältung *bekommen* oder *kriegen.*
11 **e**
12 **b.** Indirekte Fragesätze sind Nebensätze.
                     Wann werde ich nach Berlin
                     kommen?
   Ich weiß nicht, *wann ich nach Berlin kommen*
                     *werde.*
13 **a.** *Süßstoff* (-e) = chemische Verbindung, die
   sehr stark süßt. Die anderen Wörter benützen wir
   nicht.
14 **d.** *von* steht immer mit dem Dativ.
   Nomen mit der Endung *-ei* sind immer feminin,
   also:            die Malerei
              *von der* Malerei
        *von* moderne*r* Malerei
15 **b** (s. Test 8, 15)

## Test 14

1  **d.** Man *hält Reden*, Vorträge, Vorlesungen, Monologe, Ansprachen, Predigten; man *hält ein Versprechen*, wenn man tut, was man versprochen hat. Wenn man nichts zu sagen weiß, *hält* man besser *den Mund* (= man schweigt).

2  **e**

3  **d.** *bitten um* + Akkusativ.

4  **a**

5  **d.** Mein Zimmer ist *am größten* = ich habe *das größte* Zimmer.

6  **a.** Eine Zitrone ist *sauer* (sie enthält Säure). Meerwasser ist *salzig* (es enthält Salz). Kaffee ohne Zucker schmeckt *bitter*. Speisen mit viel Pfeffer sind *scharf*. Ein *scharfes* Getränk enthält viel Alkohol. Was weder süß noch sauer, weder salzig noch scharf ist, schmeckt *fade*.

7  **b.** Die anderen Wörter bezeichnen Materialien, aus denen man etwas herstellen kann.

8  **d.**

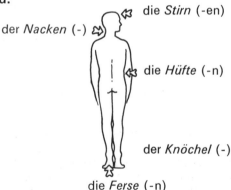

die *Stirn* (-en)

der *Nacken* (-)

die *Hüfte* (-n)

der *Knöchel* (-)

die *Ferse* (-n)

9  **c.** Wer sich nur für ein Wissensgebiet oder Hobby interessiert, ist *einseitig:* „Er ist furchtbar *einseitig*, mit ihm kannst du dich nur über Fußball unter-

halten." Der Test ist *einfach* = er ist leicht, nicht schwierig. Das Hotelzimmer ist *einfach* = es ist schlicht, nicht komfortabel. Man ist sich mit jemandem *einig*, wenn man dasselbe denkt oder will wie er. Ein naiver oder dummer Mensch ist *einfältig*.

10 **a.**

die *Milchflasche* (-n)

die *Milchdose* (-n)

die *Milchkanne* (-n)

*Milchtassen* gibt es nicht.

11 **d.** Ich *merke* (jetzt, Präsens), daß ich (vorhin) etwas *vergessen habe* (Perfekt). Ich *merkte* (um 12 Uhr, Imperfekt), daß ich (um 11 Uhr) etwas *vergessen hatte* (Plusquamperfekt).

12 **c**

13 **d.**

der *Kleiderhaken* (-)

der *Aufhänger* (-)

*Anhänger* (-) hat verschiedene Bedeutungen: der *(Schmuck)Anhänger* ist ein Schmuckstück, das man z. B. an einer Halskette trägt; der *(Koffer-) Anhänger* ist ein Schild am Koffer mit dem Namen des Besitzers; *Anhänger einer Partei* usw. ist jemand, der die Ansichten dieser Partei vertritt. Ein *Hängeschrank* ("e) ist ein Schrank, der an der Wand hängt.

14   **e.** Wie *lange bist* du . . . *geblieben?* Wie *lange bist* du . . . *gewesen?* Wieviel *Zeit hast* du . . . *verbracht?* „. . . in Deutschland *gestanden"* sagt man nicht.

15   **d**


## Test 15

1   **d**

2   **b.** Wer *eifrig* bei einer Arbeit ist, arbeitet gern, konzentriert und mit Interesse. Wer einen Menschen oder eine Sache ängstlich, doch mit aller Kraft für sich behalten möchte, ist *eifersüchtig.* Verschmutzte Wunden werden oft *eitrig* (es bildet sich „Eiter", eine gelblich-weiße trübe Flüssigkeit). Statt „sehr kalt" sagt man auch *eisig.*

3   **b**

4   **a.** Der *Wohlstand* = materiell gesichertes, gutes Leben. Die *Wohlfahrt* bedeutete ursprünglich ebenfalls gutes Leben; heute: von der *Wohlfahrt* leben oder unterstützt werden = von der öffentlichen Fürsorge leben, also arm sein. Das *Wohlbehagen* = angenehmes Gefühl. Der *Wohllaut* = schöner Klang. Das *Wohlwollen* = freundliche Einstellung.

5   **e.** ko*mm*en, aber: ich ka*m*, wir ka*m*en.

6   **c**

7   **d.** Richtig: *schmecken.*

8   **e.** Wenn der Passivsatz kein Subjekt hat, steht er immer in der 3. Person Singular –
Hauptsatz:     *Es durfte* nicht geraucht werden.
Nebensatz: . . ., weil     nicht geraucht werden     *durfte.*

9   **c.** Das *Kunstwerk* (-e): Gemälde, Dichtung, Musikwerk usw. Das *Kunststück* (-e): besondere Leistung, wie z. B. Kunststücke der Artisten im Zirkus. *Künste* = Plural von *Kunst,* z. B. die bildenden Künste = die Malerei, die Bildhauer-

kunst, die Graphik. Das *Kunstgewerbe:* künst-
lerische Tätigkeit von Handwerkern (Herstellung
von Schmuck und Gebrauchsgegenständen).

10 **e**
11 **a.** Die *Schublade* (-n), auch: das Schubfach
("er). Ein *Ausziehtisch* ist ein Tisch, den man durch
Auseinanderziehen und Einlegen eines Mittelteils
vergrößern kann. Der *Auszug* = 1. das Fortgehen
aus einem Land, einer Wohnung; 2. (Plural "e)
der Extrakt, das Wichtigste aus einem Text.
Der *Schieber* (-) = 1. Maschinenteil zum Öffnen
und Schließen von Leitungen; 2. skrupelloser
Geschäftemacher. Das Wort *Zieher* (-) gibt es nur
in Zusammensetzungen, z. B. *Korkenzieher*,
*Schraubenzieher*.
12 **b**
13 **c.** Der Baumstamm ist von *Rinde* (-n) umgeben.
14 **a**
15 **b**

# Ihr Testergebnis

| | |
|---|---|
| Test 1 | 9 |
| Test 2 | 11 |
| Test 3 | 13 |
| Test 4 | 9 |
| Test 5 | 10 |
| Test 6 | 14 |
| Test 7 | 13 |
| Test 8 | 13 |
| Test 9 | 12 |
| Test 10 | 14 |
| Test 11 | 8 |
| Test 12 | 9 |
| Test 13 | 11 |
| Test 14 | 8 |
| Test 15 | 9 |
| GESAMT | 163 |

# Wie geht es weiter?

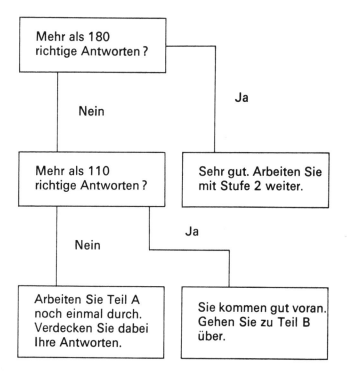

Mehr als 180 richtige Antworten?

Nein

Ja

Mehr als 110 richtige Antworten?

Sehr gut. Arbeiten Sie mit Stufe 2 weiter.

Nein

Ja

Arbeiten Sie Teil A noch einmal durch. Verdecken Sie dabei Ihre Antworten.

Sie kommen gut voran. Gehen Sie zu Teil B über.

# TEIL B

# Test 1

1 Eine Frage, die alle angeht, ist eine
  Frage, die . . .
  a) jeden Mann angeht
  b) jeden Mensch angeht
  c) man angeht
  d) jemand angeht
  e) jeden Menschen angeht

2 Eines kann man nicht sagen:
  „Ein Mensch, der gähnt, ist . . ."
  a) müde
  b) schläfrig
  c) verschlafen
  d) unausgeschlafen
  e) schlafend

3 Das ist . . .
  a) ein Hundehaus
  b) eine Hundehütte
  c) ein Hundestall
  d) eine Hundekabine
  e) ein Hundekorb

4 Welches Wort paßt nicht in die Reihe?
   a) Personenzüge
   b) Eilzüge
   c) Güterzüge
   d) Gesichtszüge
   e) Schnellzüge

5 Wenn jemand betrunken ist, sagt man,
   er . . .
   a) macht blau
   b) ist blau
   c) erlebt sein blaues Wunder
   d) macht eine Fahrt ins Blaue
   e) hat blaues Blut

6 Welcher Vogel kräht?
   a) eine Taube
   b) eine Krähe
   c) ein Huhn
   d) eine Lerche
   e) ein Hahn

7 Sie unterschrieb den Brief und steckte
   ihn in . . .
   a) den Umschlag
   b) die Tüte
   c) die Verpackung
   d) den Einband
   e) den Einschlag

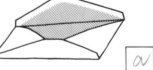

8 Was ist falsch?
   a) Schlaf gut!
   b) Hast du schlecht geschlafen?
   c) Schläfst du schon?
   d) Er schlieft in dieser Nacht sehr
      unruhig.
   e) Schläft der Hase wirklich mit
      offenen Augen?

9 Der Eintritt kostet für Kinder 2,— DM,
   für . . . 5,— DM.
   a) Gewachsene
   b) Ausgewachsene
   c) Herangewachsene
   d) Aufgewachsene
   e) Erwachsene

10 Ein Satz bedeutet etwas anderes:
   a) Er kam herein.
   b) Er betrat das Zimmer.
   c) Er kam ins Zimmer.
   d) Er trat die Tür ein.
   e) Er trat ein.

11 Welches Wort reimt sich nicht mit den
   übrigen?
   a) Pfad
   b) Saat
   c) glatt
   d) Naht
   e) Rat

12 Was ist richtig?
   a) Die Mutter liegt das Besteck
      neben den Tellern.
   b) Die Mutter legt das Besteck
      neben die Teller.
   c) Die Mutter steckt das Besteck
      neben die Teller.
   d) Die Mutter legt das Besteck
      daneben die Teller.
   e) Die Mutter liegt das Besteck den
      Tellern daneben.

13 Welche Anrede benutzt man im
   Deutschen nicht?
   a) Sehr geehrte Herren!
   b) Sehr geehrter Herr Müller!
   c) Lieber Peter!
   d) Lieber Herr!
   e) Sehr verehrter Herr Professor!

14 Das ist . . .
   a) eine Leuchte
   b) eine Birne
   c) ein Leuchter
   d) ein Licht
   e) eine Elektrische

15 Was ist richtig?
   a) Das hättest du nicht sagen gedurft!
   b) Das hättest du nicht zu sagen
      dürfen!
   c) Das hättest du nicht dürfen sagen!
   d) Das hättest du nicht zu sagen
      gedurft!
   e) Das hättest du nicht sagen dürfen!

# Test 2

1 Was paßt nicht in die Reihe?
   a) Kirschbaum
   b) Tannenbaum
   c) Apfelbaum
   d) Pflaumenbaum
   e) Birnbaum

2 Was ist das?
   a) ein Wasserhahn
   b) eine Wasserleitung
   c) ein Wasserhuhn
   d) ein Wasserleiter
   e) Leitungswasser

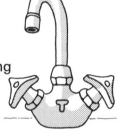  

3 Wir sprechen von einem *Museum* und
   von mehreren ...
   a) Museums
   b) Museum
   c) Musen
   d) Museen
   e) Musea

4 Was kann man nicht sagen?
   a) Er bekam hohes Fieber.
   b) Er bekam keine neue Stellung.
   c) Er bekam ein reicher Mann.
   d) Er bekam es mit der Angst zu tun.
   e) Er bekam einen Brief.

5 Wer langsam und systematisch lernt,
geht . . . vorwärts.
a) Schritt nach Schritt
b) Schritt bei Schritt
c) Schritt vor Schritt
d) Schritt hinter Schritt
e) Schritt für Schritt

6 Welcher Satz ist falsch?
a) Er war nicht in der Lage, sich
   aufzurichten.
b) Er war nicht imstande, sich
   aufzurichten.
c) Er konnte sich nicht aufzurichten.
d) Es war ihm unmöglich, sich
   aufzurichten.
e) Er vermochte sich nicht aufzurichten.

7 Ich schwimme täglich, boxe und
spiele Tennis. Und Sie? . . . Sie auch
Sport?
a) Spielen
b) Machen
c) Treiben
d) Tun
e) Üben

8 Was ist falsch? – „Gehst du gleich
nach Haus?" – „Nein, ich gehe erst
noch . . ."
a) zur Post
b) ins Kino
c) auf den Markt
d) bei meinem Onkel
e) an den See

9 Ahmed hat ein . . . Praktikum bei einer
Firma gemacht.
a) viermonate
b) viermonatliches
c) viermonates
d) viermonatiges
e) viermonatisches

10 Die Wörter *Sattel, Lenker, Klingel,
Pedal* und *Reifen* haben alle mit . . .
zu tun
a) Reitsport
b) Autos
c) Politik
d) Schule
e) Fahrrädern

11 Ich muß meinen kaputten Fernsehapparat . . .
a) repariert werden
b) zu reparieren
c) reparieren läßt
d) zur Reparatur
e) reparieren lassen

12 Welches Wort paßt nicht zu den
anderen ?
a) Kühlschrank
b) Erkältung
c) niesen
d) Husten
e) Schnupfen

13 „Sollen wir Ihnen das Formular
   zuschicken?" – „Ja, ich bitte . . ."
   a) Sie darum
   b) Ihnen dafür
   c) Ihnen darum
   d) Sie dafür
   e) Sie das

14 Sie zog die Jacke an und . . .
   a) setzte den Hut auf
   b) zog den Hut auf
   c) stellte den Hut auf
   d) trug den Hut auf
   e) saß den Hut auf

15 Der Zug, . . . meine Freundin kam,
   hatte 20 Minuten Verspätung.
   a) damit        d) mit es
   b) mit ihm       e) mit wem
   c) mit dem

# Test 3

1 Was kann man nicht sagen?
   a) Er hat sich verliebt.
   b) Er hat sich entlobt.
   c) Er hat sich verheiratet.
   d) Er hat sich geschieden.
   e) Er hat sich verlobt.

2 Ich . . . mir den Kopf, doch ich konnte
keine Lösung des Problems finden.
   a) brachte
   b) brach
   c) zerbrachte
   d) verbrachte
   e) zerbrach

b ✗

3 Welche Pluralform ist falsch?
   a) das Roß – die Rosse
   b) die Nuß – die Nüsse
   c) der Biß – die Bisse
   d) das Maß – die Masse
   e) der Kuß – die Küsse

wrong reason ✓ d ✗

4 Es tut mir . . ., daß du nicht kommen
kannst.
   a) sehr traurig
   b) sehr schade
   c) sehr leid
   d) sehr leider
   e) sehr furchtbar

c ✓

5 Man fragt Sie: „Wie war es denn?" –
Sie antworten:
   a) Gans anders, als ich gedacht hatte!
   b) Ganz anders, wie ich gedacht hatte!
   c) Ganz anderes, wie ich gedacht
      hatte!
   d) Ganz anders, als ich gedacht hatte!
   e) Gans anderes, wie ich gedacht
      hatte!

d ✓

6 „Der Regen macht mir nichts aus."
  bedeutet:
  a) Der Regen schadet mir nicht.
  b) Der Regen stört mich nicht.
  c) Der Regen ist gut für mich.
  d) Der Regen ist noch nicht zu Ende.
  e) Der Regen macht mir nichts kaputt.  ✓

7 Wenn Sie in einem Geschäft gefragt
  werden: „Wünschen Sie noch etwas?",
  antworten Sie korrekt:
  a) Danke, das ist alles, das ich
     brauche.
  b) Danke, das ist alles, was brauche
     ich.
  c) Danke, das ist alles, das brauche
     ich.
  d) Danke, das ist alles, was ich
     brauche.
  e) Danke, das ist alles, ich brauche.  ✓

8 „Ist Peter da?" –
  Eine der Antworten auf diese Frage
  ist falsch:
  a) Ja, er ist zu Hause.
  b) Ja, er ist in sein Zimmer.
  c) Ja, er ist oben.
  d) Ja, er ist daheim.
  e) Ja, er ist drinnen.  ✓

9 Ein schönes Zimmer hast du!
  Das kostet doch . . . 200,— DM?
  a) mindestens    d) kaum
  b) weniges       e) weniger
  c) geringstens    ✓

10 Welche Antwort ist falsch? –
„Wollen wir zusammen Kaffee trinken?"
– „Ein andermal, heute . . ."
a) bin ich in großer Eile
b) habe ich es sehr eilig
c) muß ich mich sehr beeilen
d) bin ich sehr eilig
e) habe ich große Eile

[ C ] ✗

11 Welches Wort ist positiv?
„Deine Freundin ist aber . . ."
a) dünn
b) mager
c) knochig
d) schlank
e) dürr

[ d ] ✓

12 Verlassen Sie sofort das Haus, . . .
rufe ich die Polizei!
a) oder
b) sonst
c) wenn
d) sondern
e) falls

[ b ] ✓

13 Die Wörter *Objektiv*, *Blende*,
*Belichtung* und *Auslöser* haben alle
etwas mit . . . zu tun.
a) Elektronik
b) Fotografie
c) Kino
d) Chemie
e) Psychologie

[ b ] ✓

14 Wir treffen uns also um 5 Uhr in dem
Café . . .
   a) an die Ecke
   b) um der Ecke
   c) an der Ecke
   d) in der Ecke
   e) in die Ecke

15 Wenn jemand sehr mutlos ist, sagt
man ihm, er solle wieder Mut . . .
   a) fassen
   b) packen
   c) nehmen
   d) holen
   e) ziehen

# Test 4

1 Was sagen wir zu Gästen, die im Mantel
unser Haus betreten?
   a) Bitte ziehen Sie sich aus!
   b) Bitte machen Sie sich frei!
   c) Bitte legen Sie ab!
   d) Bitte ziehen Sie ab!
   e) Bitte legen Sie los!

2 Was hat unsere Nase nicht?
   a) einen Rücken
   b) ein Bein
   c) Flügel
   d) ein Horn
   e) Löcher

3 Wie heißt das Gegenteil von
*Wiedersehen*?
   a) Ankunft
   b) Abfahrt
   c) Abkehr
   d) Fortgang
   e) Abschied

4 Ich habe vier Kinder, aber meine
Schwester hat nur ein . . . Kind.
   a) einiges
   b) einfaches
   c) einzelnes
   d) einsames
   e) einziges

5 Wie ist es richtig?
   a) Als er auf dem Bahnsteig kam an,
      fuhr der Zug gerade ab.
   b) Als er auf dem Bahnsteig ankam,
      abfuhr der Zug gerade.
   c) Als er auf dem Bahnsteig ankam,
      fuhr der Zug gerade ab.
   d) Als er auf dem Bahnsteig kam an,
      gerade abfuhr der Zug.
   e) Als er auf dem Bahnsteig ankam,
      der Zug fuhr gerade ab.

6 Was ist falsch?
   a) das Krankenhaus
   b) die Krankenheit
   c) der Krankenwagen
   d) die Krankenversicherung
   e) das Krankengeld

7 Wir haben uns 30 Jahre nicht mehr
   gesehen. Trotzdem habe ich ihn
   gleich . . .
   a) gewußt
   b) gekannt
   c) gekonnt
   d) kennengelernt
   e) erkannt

8 Die Uhr hat ein . . .
   a) Nummernschild
   b) Ziffernschild
   c) Zahlenschild
   d) Zifferblatt
   e) Nummernblatt

9 „Was willst du denn in Hildesheim?" –
   „Dort gibt es eine Ausstellung, . . ."
   a) dafür ich großes Interesse habe
   b) die ich großes Interesse dafür habe
   c) für die ich großes Interesse habe
   d) dafür habe ich großes Interesse
   e) ich habe großes Interesse für

10 In welchem Satz bedeutet *einstellen*
   „mit etwas aufhören"?
   a) Wie vereinbart stellten die Soldaten
      das Feuer um Mitternacht ein.
   b) Die Firma hat drei neue
      Sekretärinnen eingestellt.
   c) Bei meinem Fotoapparat muß ich
      Blende und Belichtung selbst
      einstellen.
   d) Peter stellte sich am nächsten
      Morgen pünktlich ein.
   e) Die Sängerin sang: „Ich bin von
      Kopf bis Fuß auf Liebe eingestellt."

11 Was können wir nicht sagen, wenn
   wir vom Wetter sprechen?
   a) Es regnet.
   b) Es scheint.
   c) Es donnert.
   d) Es blitzt.
   e) Es gewittert.

12 „Möchtest du einen Tee?" – „Ehrlich
   gesagt . . . mir eine Tasse Kaffee lieber."
   a) würde     d) wäre
   b) käme      e) sei
   c) gefiele

13 Was ist das Gegenteil von *fröhlich?*
   a) schade    d) böse
   b) ernstlich  e) traurig
   c) heiter

 ✓

14 Alle diese Fremdwörter benutzt man im
Deutschen oft. Man spricht das *ch* darin
wie *k* – bis auf eine Ausnahme. Welche?
   a) Chaos
   b) Choral
   c) Charakter
   d) Chaussee
   e) Christ

15 Also gut, wir treffen uns . . .
   a) an Sonnabend nachmittags
   b) am Sonnabend Nachmittag
   c) am sonnabend nachmittag
   d) am sonnabend Nachmittag
   e) am Sonnabend nachmittag

 ✗

# Test 5

1 Was kann man nicht schälen?
   a) Zwiebeln
   b) Äpfel
   c) Kartoffeln
   d) Walnüsse
   e) Orangen

✓

2 Welches Wort paßt nicht zu den
  anderen? „Das ist ja . . . !"
  a) prima
  b) wunderbar
  c) phantastisch
  d) entsetzlich
  e) großartig

3 Das Mädchen auf dem Bild . . .
  a) heult
  b) tränt
  c) tropft
  d) weint
  e) näßt

4 Bei der Prüfung dürfen Sie ein Wörter-
  buch . . .
  a) nutzen
  b) benutzen
  c) nützen
  d) bedienen
  e) anwenden

5 Sind Sie sicher in der Perfektbildung?
  Ein Satz ist nicht richtig:
  a) Gestern ist hier ein Unfall passiert.
  b) Ein Auto ist gegen einen Baum
     gestoßen.
  c) Man hat es bis zur Hauptstraße
     krachen hören.
  d) Glücklicherweise haben die Insassen
     mit dem Leben davongekommen.
  e) Die Polizei wollte wissen, wer den
     Wagen zur Unfallzeit gefahren hat.

6 Was kann man nicht sagen?
   a) Sie sieht sich die Bilder an.
   b) Sie beobachtet die Bilder.
   c) Sie schaut sich die Bilder an.
   d) Sie guckt sich die Bilder an.
   e) Sie betrachtet die Bilder.

7 Welcher Satz ist falsch?
   a) Kennen Sie, was heute im Kino
      gespielt wird?
   b) Kennen Sie diesen Mann?
   c) Peter kennt alle Diskotheken in
      Frankfurt.
   d) Wir alle kennen doch Inges
      Empfindlichkeit!
   e) Fast jeder kennt aus Träumen das
      Gefühl, nicht mehr von der Stelle
      zu kommen.

8 Was ist richtig? – „Ich habe den Fehler
   nicht mehr berichtigen können, denn
   ich bin zu spät darauf aufmerksam . . .‟
   a) gewesen
   b) geworden
   c) worden
   d) bekommen
   e) werden

9 Das ist . . .
   a) ein Leiter
   b) eine Stiege
   c) eine Stufe
   d) eine Treppe
   e) eine Leiter

10 Kann ich mich auch wirklich auf
dich . . . ?
a) vertrauen
b) verlassen
c) versichern
d) glauben
e) zählen

$\boxed{a}$ ✗

11 Was ist das Gegenteil von *stark*?
a) schwach
b) leicht
c) leise
d) sanft
e) dünn

$\boxed{a}$ ✓

12 „Was wollte er denn von dir?" –
„Ach, er hat mich nur um einen
Rat . . ."
a) gebittet
b) gebeten
c) gebettet
d) geboten
e) gebetet

$\boxed{b}$ ✗

13 Wie heißt der Wunsch richtig?
a) Ein fröhlich Weihnachten und ein
gut neu Jahr!
b) Fröhlichen Weihnachten und ein
guten neuen Jahr!
c) Fröhliche Weihnachten und ein
gutes neues Jahr!
d) Fröhliches Weihnachten und ein
gutes neues Jahr!
e) Fröhliche Weihnachten und eine
gute neue Jahr!

$\boxed{c}$

14 Was wird in einer Brauerei hergestellt?
   a) Wein     d) Sekt
   b) Brause   e) Weinbrand
   c) Bier

   *c*

15 Pluralbildung: der *Trog* – die *Tröge*,
   der *Kopf* – die *Köpfe* usw. Welches der
   folgenden Wörter hat keinen Umlaut
   im Plural?
   a) der Ton     d) der Stoff
   b) der Zoll    e) der Lohn
   c) der Topf

   *b*

# Test 6

1 Die Konzertbesucher . . . Beifall.
   a) klappten
   b) klatschten
   c) zischten
   d) schlugen
   e) klapperten

   *a*

2 Was kann man nicht sagen?
   „Entschuldigen Sie, welcher Weg
   führt denn . . . ?"
   a) hinab ins Tal
   b) hinunter ins Tal
   c) nach unten ins Tal
   d) runter ins Tal
   e) herunter ins Tal

   *c*

3 Ein Besen hat einen ...
 a) Stab
 b) Stock
 c) Stiel
 d) Stecken
 e) Mast

4 Welches Wort bedeutet *antworten*?
 a) wiederholen
 b) widersprechen
 c) erwidern
 d) wiedergeben
 e) weitersagen

5 Welcher Satz ist richtig geschrieben?
 a) Kennst du die beiden jungen leute?
 b) Kennst du die Beiden jungen Leute?
 c) Kennst du die beiden Jungen Leute?
 d) Kennst du die Beiden Jungen leute?
 e) Kennst du die beiden jungen Leute?

6 Die Ausdrücke *Klinke, Schloß, Angeln*
 und *Schwelle* haben alle etwas mit ...
 zu tun.
 a) Fischerei
 b) Türen
 c) Monarchie
 d) Kunst
 e) Psychologie

7 Ich fühle mich so glücklich! Ich möchte
 mit keinem König ...
 a) tauschen
 b) ändern
 c) verwechseln
 d) abändern
 e) vertauschen

8 Fräulein Klein ist . . .
a) Sekreterin
b) Säkreterin
c) Sekretärin
d) Sekräterin
e) Säkräterin

$\boxed{c}$ ✓

9 Das Päckchen ist nicht zu schwer!
Ich habe es auf der . . .
a) Woge gewiegt
b) Wiege gewagt
c) Waage gewogen
d) Wiege gewiegt
e) Wage gewogt

$\boxed{c}$ ✓

10 Wo arbeitet ein Portier?
a) auf einem Bahnhof
b) in einem Geschäft
c) in einer Bank
d) in einem Flugzeug
e) in einem Hotel

$\boxed{a}$ ✗

11 Er . . . die Trompete.
a) bläst
b) pustet
c) pfeift
d) haucht
e) tutet

$\boxed{a}$ ✓

12 Oh, komm doch mal an dieses Fenster!
Von hier . . . kann man die Alpen
sehen!
a) ab     d) hin
b) an     e) her
c) aus

$\boxed{c}$ ✓

13 Finden Sie den Fehler?
   a) Darf ich Sie um einen Rat bitten?
   b) Er bat mich um Hilfe.
   c) Sie bittet um finanzielle Unter-
      stützung.
   d) Wir haben euch um nichts geboten.
   e) Die Kinder baten die Eltern um
      Verzeihung.

 ✗

14 „Hast du das Buch schon ausgelesen?"
   – „Nein, ich bin erst beim dritten . . ."
   a) Kapitel      d) Kapitell
   b) Kapital      e) Kapitän
   c) Kapitol

 ✓

15 Das Unglück wurde . . . menschliches
   Versagen verursacht.
   a) von       d) wegen
   b) durch     e) aus
   c) bei

 ✗

---

# Test 7

1 Womit haben die Ausdrücke: *Tor,
   Strafraum, Schiedsrichter* und *Abseits*
   alle zu tun? – Mit . . .
   a) dem Gefängnis
   b) dem Gericht
   c) Architektur
   d) Fußball
   e) Landvermessung

  ✓

2 Was kann man nicht sagen?
   a) Er war außerstande, sich zu
      bewegen.
   b) Er war unfähig, sich zu bewegen.
   c) Er war unmöglich, sich zu bewegen.
   d) Es gelang ihm nicht, sich zu
      bewegen.
   e) Er war nicht imstande, sich zu
      bewegen.

3 Es tut ihr jetzt . . ., daß sie dich so
  geärgert hat.
   a) furchtbar traurig
   b) sehr leid
   c) furchtbar schade
   d) sehr furchtbar
   e) furchtbar leider

4 Welcher Satz ist falsch?
   a) Hauptsache, ich weiß ihn glücklich!
   b) Ich weiß den Titel des Buches
      nicht mehr.
   c) Wissen Sie Lübeck?
   d) Weißt du die Antwort auf diese
      Frage?
   e) Peter weiß sich immer ins recht
      Licht zu setzen.

5 Die letzte Szene des Stückes hat immer
  wieder . . .
   a) geprobt werden müssen
   b) müssen werden geprobt
   c) geprobt werden gemußt
   d) geprobt müssen werden
   e) geprobt worden müssen

6 Das ist . . .
   a) ein Busenheber
   b) ein Büstenhalter
   c) ein Busenlift
   d) ein Brusthalter
   e) ein Brustheber

7 Ich weiß leider nichts Neues von Klaus,
   denn . . .
   a) in der letzten Woche er ist nicht hier
      gewesen
   b) in der letzten Woche hat er nicht hier
      gewesen
   c) in der letzten Woche er war nicht
      hier
   d) in der letzten Woche ist er nicht hier
   e) in der letzten Woche ist er nicht hier
      gewesen

8 Ein Kind ohne Brüder und Schwestern
   ist ein . . .
   a) Einheitskind
   b) Einzahlkind
   c) Einfaltskind
   d) Einzelkind
   e) Einsamskind

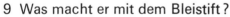

9 Was macht er mit dem Bleistift?
   a) Er spitzt ihn.
   b) Er kürzt ihn.
   c) Er schneidet ihn.
   d) Er schärft ihn.
   e) Er schabt ihn.

10 Kaum hatte er sich fertig angezogen,
   . . . kam das bestellte Taxi bereits.
   a) da
   b) als
   c) schon
   d) wenn
   e) dann

11 Was hören Sie aus dem Lautsprecher?
   „Vorsicht an . . ., ein Zug fährt
   durch!"
   a) dem Bahnsteigrand
   b) der Bahnsteigkante
   c) der Bahnsteiggrenze
   d) der Bahnsteigschwelle
   e) der Bahnsteigecke

12 Welches Wort hat eine andere
   Bedeutung?
   a) angstvoll
   b) furchtbar
   c) ängstlich
   d) furchtsam
   e) verängstigt

13 Ich . . . sehr zufrieden, wenn es mir
   so gut ginge wie dir.
   a) bin
   b) würde
   c) sei
   d) gebe
   e) wäre

14 Haben Sie dieses Buch schon gelesen?
Ich denke, daß . . . interessieren wird.
a) das Sie     d) Sie sich
b) es Ihnen    e) es Sie
c) Sie dafür

15 „Muß ich dieses Formular auch noch
ausfüllen?" – „Nein, das . . ."
a) müssen Sie nicht auszufüllen
b) brauchen Sie nicht auszufüllen
c) brauchen Sie nicht zu ausfüllen
d) müssen Sie nicht füllen
e) brauchen Sie nicht füllen

# Test 8

1 Das Gegenteil von *stimmlos* ist:
a) stimmlich
b) stimmig
c) bestimmbar
d) stimmhaft
e) bestimmt

2 Freunden und Bekannten schreibt man
aus dem Urlaub gern . . .
a) Aussichtskarten
b) Absichtskarten
c) Ansichtskarten
d) Besichtigungskarten
e) Übersichtskarten

3 „Er befindet sich auf dem Wege der Besserung" heißt:
   a) Er hat einen besseren Weg gefunden.
   b) Er hat seine Leistungen verbessert.
   c) Er ist ein besserer Mensch geworden.
   d) Es geht ihm gesundheitlich wieder besser.
   e) Er befindet sich auf der richtigen Straße.

4 Was ist kein Möbelstück?
   a) ein Geschirrschrank
   b) eine Kommode
   c) ein Bücherregal
   d) ein Couchtisch
   e) ein Fahrstuhl

5 Die Klingel ist kaputt; Sie müssen . . .
   a) klopfen
   b) hauen
   c) schlagen
   d) pochen
   e) knallen

6 Welches Wort paßt nicht zu den anderen?
   a) Schienen
   b) Gebäck
   c) Züge
   d) Reisende
   e) Bahnsteig

7 „Sie öffnete die Tür und *trat ein!*"
Das Gegenteil davon heißt:
a) Sie trat aus.     d) Sie ging hinaus.
b) Sie trat weg.     e) Sie ging ab.
c) Sie ging aus.

*dc* ✗

8 Diese Früchte wachsen auf Bäumen –
mit einer Ausnahme:
a) Kirschen
b) Johannisbeeren
c) Pflaumen
d) Äpfel
e) Birnen

*b* ✓

9 Was deckt man über die Matratze?
a) das Bettuch
b) den Bettvorleger
c) die Bettdecke
d) den Bettbezug
e) das Federbett

*c* ✗

10 Ein Foto, das zu dunkel ist, ist . . .
a) unbelichtet        d) abgeblendet
b) unterbelichtet     e) lichtarm
c) unterbeleuchtet

*a* ✗

11 In welchem Satz ist *wann* falsch?
a) Wann kommst du denn?
b) Sag mir bitte, wann du kommst.
c) Wann ich kommen kann, weiß ich
   noch nicht.
d) Wann immer du auch kommst, du
   bist uns stets willkommen!            ✗
e) Wann ich komme, möchte ich
   abgeholt werden.

*b*

12 Die Maschine, ... ich auf dem
   Flugplatz erwartete, hatte 2 Stunden
   Verspätung.
   a) dessen die Ankunft
   b) deren die Ankunft
   c) die Ankunft
   d) deren Ankunft
   e) auf deren Ankunft

 ✗

13 Das ist eine ...
   a) Armuhr
   b) Handuhr
   c) Ärmeluhr
   d) Armbanduhr
   e) Handgelenkuhr

 ✓

14 Nur ein Wort ist richtig zusammengesetzt:
   a) Küchetür
   b) Schlafenzimmer
   c) Kindzimmer
   d) Treppenhaus
   e) Wohnenzimmer

✓

15 Wir möchten Sie bitten, ein Konto bei
   einer Bank oder Sparkasse zu ...
   a) nehmen
   b) öffnen
   c) beginnen
   d) anfangen
   e) eröffnen

 ✗

# Test 9

1 ,,Geht es Herrn Krüger denn wieder
  besser?'' – ,,Nein, leider ist die
  Krankheit . . . geworden.''
  a) schlechter
  b) größer
  c) schwerer
  d) stärker
  e) schlimmer

2 Welcher Satz trifft nicht zu?
  a) Sie räumt das Geschirr in den
     Schrank.
  b) Sie hat nicht alle Tassen im
     Schrank.
  c) Sie ist mit dem Abwasch fertig.
  d) Sie trägt eine Küchenschürze.
  e) Das Handtuch ist auf den Boden
     gefallen.

3 Was ist kein Metall?
   a) Silber    d) Eis
   b) Zinn     e) Messing
   c) Kupfer

4 Was ist falsch?
   a) Sie legte das Besteck neben die Teller.
   b) Er legte dem Kranken die Hand auf die Stirn.
   c) Weißt du, wo ich meine Uhr gelegt habe?
   d) Sie legte eine neue Platte auf den Plattenteller.
   e) Der Wind hat sich gelegt.

5 Pedro aus Mexiko will fünf Paare zu einer kleinen Party einladen. Finden Sie den Fehler auf seinem Notizzettel?
   a) einen Türken und eine Türkin
   b) einen Chinesen und eine Chinesin
   c) einen Spanier und eine Spanierin
   d) einen Deutschen und eine Deutschin
   e) einen Italiener und eine Italienerin

6 Jemand sagt Ihnen: ,,Ich habe diesen Film *neulich* gesehen.'' Er meint damit, daß er ihn . . . gesehen hat.
   a) gerade eben
   b) erst gestern
   c) vor einigen Tagen
   d) zum zweitenmal
   e) zum erstenmal

7 Was soll ich nur tun ? Ich . . . es einfach
   nicht fertig, das Rauchen aufzugeben.
   a) bringe
   b) schaffe
   c) mache
   d) kann
   e) werde

   b ✗

8 „Dein Vater war sicher sehr böse, als er
   von der kaputten Scheibe hörte?" –
   „Im . . ., er hat gelacht!"
   a) Gegenstand
   b) Gegensatz
   c) Gegenschlag
   d) Kontrast
   e) Gegenteil

   ✓
   e

9 Guten Tag, Herr Weiß! Ich sehe, Sie
   sind wieder gesund und munter.
   Und wie geht es . . . Frau ?
   a) Ihnen
   b) seine
   c) Ihrer
   d) seiner
   e) Ihre

   ✓
   c

10 Das ist ein:
   a) Ausguß
   b) Trichter
   c) Durchlauf
   d) Krug
   e) Gießer

   ✓
   b

11 „Warten Sie schon lange?" fragt man
Sie. Sie antworten:
a) Nein, ich bin schon kurze Zeit hier.
b) Nein, ich bin nur kurze Zeit hier.
c) Nein, ich bin erst kurze Zeit hier.
d) Nein, ich bin noch kurze Zeit hier.
e) Nein, ich bin gerade kurze Zeit hier.

12 Herzkranke dürfen nur Kaffee trinken,
dem man das Coffein ... hat.
a) ausgezogen
b) verzogen
c) erzogen
d) abgezogen
e) entzogen

13 der *Ball*, der *Schwall* – auch die
folgenden Wörter sind maskulin – bis
auf eines:
a) All
b) Knall
c) Fall
d) Stall
e) Wall

14 Bei einer Fahrzeugkontrolle sagt der
Polizist zum Autofahrer: „Darf ich
mal ... sehen?"
a) Ihren Fahrschein
b) Ihren Führerschein
c) Ihr Führungszeugnis
d) Ihre Fahrkarte
e) Ihren Fahrtausweis

15 . . . A sagt, muß auch B sagen!
   a) Wer
   b) Den
   c) Was
   d) Der
   e) Wen

# Test 10

1 Die Regierung steht vor . . . Ent-
   scheidungen.
   a) beschwerlichen
   b) schwierigen
   c) mühsamen
   d) bemühten
   e) beschwerten

2 ,,Sieh dir diese Bilder an! Sind sie nicht
   *ausgezeichnet?''* Das heißt:
   a) Sie sind nicht farbig, sondern
      schwarzweiß.
   b) Sie sind noch nicht ganz fertig
      gezeichnet.
   c) Sie haben noch kein Preisschild
      bekommen.
   d) Sie sind sehr gut.
   e) Die schwarzen Konturen sind farbig
      ausgefüllt.

3 Was kann man nicht sagen? – „Sie
trug ein . . .''
a) elegantes Kleid
b) ausgefallenes Kleid
c) rosanes Kleid
d) seidenes Kleid
e) entzückendes Kleid

4 Dieser Vogel ist in . . .
a) einem Bauern
b) einem Käfer
c) einem Nest
d) einem Bauer
e) einem Kästchen

5 Nach drei Wochen könnte meine Wirtin
doch endlich einmal die Bettwäsche
. . .
a) ändern       d) umändern
b) abwechseln   e) wechseln
c) vertauschen

6 Welches Wortpaar klingt gleich?
a) alle   – Ahle
b) Aale   – Allee
c) Ahle   – Aale
d) Allee – alle
e) alle   – Aale

7 Was ist falsch?
a) Ißt doch noch etwas!
b) Er aß mit gutem Appetit.
c) Wir haben genug gegessen.
d) Ihr eßt zuviel Kartoffeln.
e) Ich esse nicht gern Weißbrot.

8 Marcel sagt: „Die deutsche Küche
liegt mir nicht.'' Er meint:
a) Ich koche nicht gern in deutschen
Küchen.
b) Ich weiß nicht, wo hier die Küche ist.
c) Die Küchenmöbel in Deutschland
gefallen mir nicht.
d) Ich mag das deutsche Essen nicht.
e) Ich liege nicht gern in der Küche.

9 Das Gegenteil von *Liebe* ist:
a) Wut
b) Treue
c) Zorn
d) Leidenschaft
e) Haß

10 Die Ausdrücke: *Ring, Runde, Handtuch
werfen* und *auszählen* haben alle etwas
mit . . . zu tun.
a) Schmuck
b) Baden
c) Finanzen
d) Boxen
e) Biertrinken

11 Wenn es gelänge, diese Wüste zu . . . ,
könnte man für viele Tausende
Nahrung schaffen.
a) bewässern
b) wässern
c) verwässern
d) entwässern
e) durchwässern

12 „Und wann hast du aufgehört zu
rauchen?" – Die richtige Antwort lautet:
   a) Erst nach ich einen Herzanfall
      gehabt hatte.
   b) Erst nachdem ich einen Herzanfall
      gehabt hatte.
   c) Erst danach ich einen Herzanfall
      gehabt hatte.
   d) Erst nachher ich einen Herzanfall
      gehabt hatte.
   e) Erst wenn ich einen Herzanfall
      gehabt hatte.

13 Was sagt man nicht?
   a) Ich gratuliere dir herzlich zum
      Geburtstag.
   b) Den Führerschein haben Sie
      gemacht? Da gratuliere ich Ihnen!
   c) Wir müssen Helga und Heinz zur
      Geburt ihres Sohnes gratulieren.
   d) Ich gratuliere Ihnen zu Weihnachten.
   e) Du hast dein Examen mit ‚Sehr gut'
      bestanden? Gratuliere!

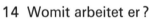

14 Womit arbeitet er?
   a) Mit einer Säge.
   b) Mit einer Axt.
   c) Mit einem Hammer.
   d) Mit einem Schwert.
   e) Mit einem Beil.

15 Er hat mich nicht gegrüßt, . . . er mich
bestimmt gesehen hat.
   a) obwohl
   b) trotz
   c) weil
   d) dennoch
   e) ob

a

---

# Test 11

---

1 Welches Wort gehört nicht in die Reihe ?
   a) Daumen
   b) Ringfinger
   c) Langfinger
   d) Mittelfinger
   e) Zeigefinger

c

2 ,,Stell dir vor, Peter hat sich eine
Lokomotive gekauft!'' – ,,Wirklich ?
Was will er . . . damit machen ?''
   a) ja        d) denn
   b) nämlich   e) etwa
   c) doch

d

3 Wo ist der Fehler ?
   a) er klingelt
   b) wir klingeln
   c) du klingelst
   d) ich klingele
   e) ihr klingelt

d

4 *auswendig lernen* heißt:
   a) sehr schnell lernen
   b) wenig lernen
   c) Schwierigkeiten beim Lernen
      haben
   d) etwas Wort für Wort lernen
   e) mit anderen zusammen lernen

5 Dieses Kind hat . . .
   a) ein Zahnloch
   b) eine Zahnlücke
   c) eine Zahnhöhle
   d) eine Zahngrube
   e) einen Zahnfehler

6 Welches Wortpaar klingt nicht
   gleich?
   a) Lied   – Lid
   b) bunt   – Bund
   c) lax    – Lachs
   d) den    – denn
   e) Waise  – Weise

7 Wo steckt der Fehler?
  a) ein Paar Strümpfe
  b) ein Paar Bonbons
  c) ein Paar Schuhe
  d) ein Paar Manschettenknöpfe
  e) ein Paar Stiefel

b

8 Lüneburg, . . . ich jetzt wohne, ist eine
  hübsche alte Stadt am Rande der
  Lüneburger Heide.
  a) in der
  b) worin
  c) in dem
  d) wo
  e) darin

d

9 Was paßt nicht in die Reihe?
  a) Weizen
  b) Grieß
  c) Hafer
  d) Roggen
  e) Gerste

b

10 Was sagt man nicht?
  a) Soll ich dir ein Brot mit Butter
     streichen?
  b) Kannst du Geige streichen?
  c) Wir sollten mal wieder die Wände
     streichen.
  d) Würdest du mir bitte mal die Decke
     glattstreichen?
  e) Wegen Lieferschwierigkeiten
     müssen wir den Auftrag leider
     streichen.

b

11 „Wo ist denn das Buch, in dem ich vorhin gelesen habe?" – In welcher Antwort ist ein Fehler?
   a) Liegt es nicht auf dem Tisch?
   b) Vielleicht steht es wieder im Bücherschrank?
   c) Hast du es nicht in deine Tasche gesteckt?
   d) Sieh doch mal unter der Zeitung nach!
   e) Ich glaube, es ist auf dem Boden gefallen.

12 Es heißt: *das Gedächtnis, das Erlebnis, das Zeugnis, das Geheimnis.*
   Aber manchmal sind Nomen auf *-nis* auch feminin. Finden Sie hier eins?
   a) Bündnis
   b) Erlaubnis
   c) Gefängnis
   d) Ereignis
   e) Bekenntnis

13 „Hast du mir die versprochene Platte heute mitgebracht?" – „Ach, ich habe wieder nicht . . ."
   a) darüber gedacht
   b) an das gedacht
   c) daran gedacht
   d) über das gedacht
   e) das gedacht

14 Wenn ich Zeit . . ., wäre ich gern zu
euch gekommen.
a) gehabt hätte     d) hätte
b) habe             e) hatte
c) haben würde

15 Ich muß zur Post, . . .
a) zum ein Paket abholen
b) um ein Paket zu abholen
c) für ein Paket abholen
d) um ein Paket abzuholen
e) ein Paket zu abholen

# Test 12

1 Weißt du denn keinen Rat für mich?
Du hast mir doch schon so viele gute
. . . gegeben!
a) Rate      d) Ratschläge
b) Räte      e) Ratgeber
c) Rätsel

2 In einem Satz steckt ein Fehler. Wo?
a) Das ist nicht mehr festzustellen.
b) Das kann man nicht mehr feststellen.
c) Das läßt sich nicht mehr feststellen.
d) Das ist nicht mehr feststellbar.
e) Das kann nicht mehr feststellen
werden.

3 Es gibt keinen . . . Apfelkuchen als den,
den meine Mutter bäckt!
   a) am besten
   b) besten ✓
   c) besseren
   d) besser
   e) guten

   [ c ]

4 Vom . . . hatten wir einen herrlichen
Blick ins Land.
   a) Aufsichtsturm
   b) Ansichtsturm
   c) Aussichtsturm ✓
   d) Besichtigungsturm
   e) Fernsichtsturm

   [ c ]

5 Was wünschen wir, wenn jemand
krank ist?
   a) Bessere Chancen!
   b) Hals- und Beinbruch!
   c) Viel Glück! ✓
   d) Gute Besserung!
   e) Alles Gute!

   [ d ]

6 Was ist falsch?
   a) Als sie das Telegramm sah, wurde
      sie blaß.
   b) Schubert wurde nur 31 Jahre alt.
   c) Es wurde langsam dunkel.
   d) Das große Tor wurde stets um
      Mitternacht geschlossen.
   e) Als ich plötzlich den Löwen vor
      mir sah, wurde ich erschrocken.

   ✗

   [ d ]

7 „Er nahm die Kopfhörer ab." – Das
  Gegenteil davon heißt:
  a) Er nahm die Kopfhörer auf.
  b) Er trug die Kopfhörer auf.
  c) Er setzte die Kopfhörer auf.
  d) Er legte die Kopfhörer auf.
  e) Er stellte die Kopfhörer auf.

 ✗

8 Sie müssen noch warten! Ich bin . . .
  gekommen!
  a) erster
  b) vor
  c) voran
  d) zuerst
  e) bevor

✓

9 Wenn ich Auto fahre, muß ich eine
  Brille . . .
  a) anziehen
  b) ummachen
  c) aufnehmen
  d) vorstellen
  e) aufsetzen

✓

10 Was ist falsch?
  a) Das ist die Meinung des kleinen
     Mannes.
  b) Das ist die Meinung meiner Frau.
  c) Das ist die Meinung eines
     Students.
  d) Das ist die Meinung vieler Frauen.
  e) Das ist die Meinung der meisten
     Männer.

✗

11 Die Abkürzung *LKW* bedeutet:
   a) ein Kernkraftwerk
   b) eine bekannte Automarke
   c) einen Wagen, mit dem schwere
      Güter transportiert werden
   d) ein Krankenhaus, das dem Land
      gehört
   e) einen Kurzwellensender

$c$

12 Singular oder Plural? Einmal stimmt
   es nicht!
   a) Die Familie warteten auf den Vater.
   b) Mann und Frau warteten auf den
      Sohn.
   c) Peter oder ich werden an der
      Haltestelle auf dich warten.
   d) Man wartete nicht lange.
   e) An der Haltestelle wartete der
      Mann mit seinem Hund.

$a$

13 Das ist . . .
   a) eine Stehlampe
   b) ein Lampengestell
   c) eine Standlampe
   d) ein Lampenständer
   e) eine Stellampe

14 Was kann man nicht sagen?
  a) Möchten Sie etwas trinken?
  b) Danke, ich möchte jetzt keinen
     Kaffee.
  c) Ich möchte gern eine weiße Bluse
     mit kurzem Ärmel.
  d) Die impressionistischen Maler
     möchte ich lieber als die Expressio-
     nisten.
  e) Möchten Sie von dem rohen oder
     von dem gekochten Schinken
     haben?

15 Welches Tier hat Hörner?
  a) die Kuh
  b) das Schwein
  c) die Katze
  d) der Hund
  e) das Huhn

# Test 13

1 Meine Uhr ist stehengeblieben.
  Ich muß sie wieder . . .
  a) aufziehen
  b) aufwinden
  c) aufschrauben
  d) aufdrehen
  e) aufschließen

2 Welches dieser Nomen ist nicht
feminin?
a) Erleichterung
b) Veranstaltung
c) Leitung
d) Benachrichtigung
e) Ursprung

3 Die Gitarre hat sechs . . .
a) Seiten
b) Fäden
c) Drähte
d) Saiten
e) Seile

4 Ich war eine Woche in München und
habe mir dort alle . . . angesehen.
a) Sehenswertheiten
b) Sehenswertigkeiten
c) Sehenswürdigheiten
d) Sehenswürdigkeiten
e) Sehenswichtigkeiten

5 Wer nicht sehen kann, ist . . .
a) stumm
b) lahm
c) taub
d) matt
e) blind

6  *viel* oder *viele* ? Welcher Satz ist falsch ?
   a) Er hat viele Arbeit.
   b) Hier gibt es viele ausländische
      Studenten.　　　　　　　　　　✓
   c) Ich habe nicht viel Zeit.
   d) Er hat nicht viel gefragt.
   e) Diese Leute haben viele Vorurteile.　　*a*

7  Das ist . . .
   a) ein Stiefel
   b) ein Halbschuh
   c) ein Pumps
   d) ein Pantoffel　　　　　　　　　✓
   e) eine Sandale　　　　　　　　　*e*

8  Ist das alles, . . . ?
   a) was du erfahren konntest
   b) das du erfahren konntest
   c) die du erfahren konntest　　　　✓
   d) wieviel du erfahren konntest
   e) daß du erfahren konntest　　　　*a*

9  Was kann man nicht *halten* ?
   a) einen Monolog
   b) Vorlesungen
   c) ein Gespräch　　　　　　　　　✗
   d) eine Predigt
   e) eine Rede　　　　　　　　　　*d*

10 Die Butter ist in . . .
   a) der Butterbüchse
   b) dem Butterkasten　　　　　　　✗
   c) der Butterkanne
   d) der Butterschachtel
   e) der Butterdose　　　　　　　　*b*

11 Was ist richtig? „Verstehen Sie alle
genug Englisch, oder . . . ?"
   a) braucht es das Referat zu übersetzen
   b) sollen wir das Referat zu übersetzen
   c) muß man das Referat zu übersetzen
   d) ist es notwendig, das Referat zu
      übersetzen
   e) wollen Sie das Referat zu über-
      setzen

12 Wie groß ist die . . . zwischen Hamburg
und München?
   a) Entfernung
   b) Weite
   c) Ferne
   d) Distanzierung
   e) Erweiterung

13 „Sie dürfte älter sein als er" heißt:
   a) Eine Frau darf auch älter sein als
      ihr Mann.
   b) Ich weiß, daß sie älter ist.
   c) Ich glaube nicht, daß sie älter ist.
   d) Ich habe keine Ahnung, ob sie
      älter ist.
   e) Ich bin ziemlich sicher, daß sie
      älter ist.

14 Ich gehe nie bei . . . spazieren.
   a) schlecht Wetter
   b) schlechtem Wetter
   c) einem schlechten Wetter
   d) schlechten Wetter
   e) dem schlechtem Wetter

15 Wolfgang beeilte sich, . . . seinen Zug
   noch zu erreichen.
   a) für        d) weil
   b) damit      e) darum
   c) um

---

# Test 14

1 Er warf nur . . . auf die Rechnung,
   da hatte er den Fehler schon entdeckt.
   a) ein Auge
   b) einen Blick
   c) einen Augenblick
   d) einen Anblick
   e) einen Hinblick

2 Was ruft sie? „. . . ! Das stinkt aber!"
   a) Ah!         d) Pfui!
   b) Ei, ei!     e) Hmm!
   c) Hoppla!

3 In welchem Satz hat *ausgehen* die
   Bedeutung *verlieren*?
   a) Das Licht ging plötzlich aus.
   b) Inge geht neuerdings jeden Tag aus.
   c) Seit meiner Krankheit gehen mir die
      Haare aus.
   d) Wie ist die Geschichte denn aus-
      gegangen?
   e) Bedaure, dieser Artikel ist uns zur
      Zeit ausgegangen.

4 Was ist richtig?
   a) Nur selten kam noch ein paar Leute.
   b) Nur selten kam noch ein Paar Leute.
   c) Nur selten kamen noch ein paar Leute.
   d) Nur selten kamen noch ein Paar
      Leute.
   e) Nur selten kamen noch Paar Leute.

5 Welche Frucht ist schwarz, wenn sie
   reif ist?
   a) die Brombeere
   b) die Himbeere
   c) der Pfirsich
   d) die Stachelbeere
   e) die Erdbeere

6 Was kann man nicht sagen?
   a) Mir tut der Kopf so weh!
   b) Ich habe schreckliche Kopfschmerzen!
   c) Mein Kopf tut furchtbar weh!
   d) Mein Kopf schmerzt so furchtbar!
   e) Mein Kopf weht so!

7 Eine *Scheune* ist ein Teil . . .
   a) einer Werkstatt
   b) einer Fabrik
   c) eines Supermarkts
   d) eines Bauernhofs
   e) einer Bank

8 Herr Meyer hat sich beim Skifahren
  das rechte Bein . . .
   a) zerbrochen
   b) verbrochen
   c) gebrochen
   d) abgebrochen
   e) gebracht

9 Die Frauen kämpfen heute überall
  um . . .
   a) ihre Gleichheit
   b) ihr Gleichgewicht
   c) ihre Gleichberechtigung
   d) ihre Gleichung
   e) ihre Gleichgültigkeit

10 Welches Wort gehört nicht in diese
   Reihe: *schön – Schönheit, krank –
   Krankheit, rein – Reinheit* ?
   a) hell
   b) dumm
   c) faul
   d) frech
   e) wahr

11 Welches Wort paßt nicht zu den
   anderen?
   a) Blatt
   b) Zeitung
   c) Blüte
   d) Wurzel
   e) Stengel

12 Die Frau ... einen Kinderwagen.
   a) drückt
   b) schiebt
   c) stößt
   d) zieht
   e) drängt

13 Eines kann man nicht sagen! – „Alle
   seine Bemühungen waren ..."
   a) vergeblich
   b) umsonst
   c) zwecklos
   d) unbenutzt
   e) nutzlos

14 Was macht er?
   a) Er bürstet die Wände.
   b) Er streichelt die Wände.
   c) Er schmiert die Wände.
   d) Er zeichnet die Wände.
   e) Er streicht die Wände.

15 Was ist richtig?
   a) Helf mir mal!      d) Hilf mir mal!
   b) Hilfst mir mal!    e) Helf du mir mal!
   c) Helfe mir mal!

---

# Test 15

---

1 Wenn du sparen willst, darfst du aber
  nicht so viel Geld für Süßigkeiten ...
   a) aufgeben    d) ausgeben
   b) abgeben     e) geben
   c) angeben

2 Welches Wort reimt sich nicht mit den
anderen?
a) Klage
b) Frage
c) Sage
d) Gage
e) Tage

3 „Erst nach minutenlangem Pfeif-
konzert konnte der Redner *fortfahren*"
heißt:
a) Er konnte eine Reise machen.
b) Er konnte weggehen.
c) Er konnte weitersprechen.
d) Er konnte den Satz wiederholen.
e) Er konnte schnell verschwinden.

4 Nomen, die auf -*e* enden, sind gewöhnlich feminin. Welches der folgenden
nicht?
a) Nase
b) Liebe
c) Hase
d) Kanne
e) Tiefe

5 Was ist keine Frucht?
a) die Weintraube
b) die Himbeere
c) die Aprikose
d) die Johannisbeere
e) der Augapfel

6 Was sagt der Hahn in Deutschland?
   a) Kokeldadeldooh!
   b) Kikeriki!     d) Kokoriku!
   c) Kokeliko!     e) Kokeriko!

b

7 Was ist richtig?
   a) Hoch und hocher flog die Schaukel.
   b) Hoch und höcher flog die Schaukel.
   c) Höchst und höher flog die Schaukel.
   d) Hoch und höher flog die Schaukel.
   e) Hoch und hoher flog die Schaukel.

d

8 Was sagt man nicht?
   a) ein Mückenstich
   b) ein Bienenstich
   c) ein Wespenstich
   d) ein Sonnenstich
   e) ein Schlangenstich

d

9 Das ist . . .
   a) ein Beleuchter
   b) ein Leuchtturm
   c) eine Küstenwache
   d) ein Blitzlicht
   e) eine Warnleuchte

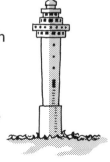

b

10 Wenn jemand kaum Aussicht hat, sein
Examen zu bestehen, sagt man, seine
Chancen seien . . .
a) wenig
b) minderwertig
c) gering
d) matt
e) blaß

11 Was sagt man nicht?
a) Das macht nichts!
b) Der Hund macht dir nichts.
c) Wir machen jetzt eine Pause.
d) Das macht zusammen DM 26,50.
e) Mach dir nichts daraus!

12 Was sagt dieses Paar? „Wir haben
uns . . .“
a) engagiert
b) gelobt
c) geliebt
d) entlobt
e) verlobt

13 „Bleiben Sie ruhig hier!'' heißt:
   a) Sie müssen leise sein, wenn Sie
      hierbleiben wollen.
   b) Es macht nichts, wenn Sie hier-
      bleiben.
   c) Regen Sie sich hier nicht auf!
   d) Hier bleibt alles still.
   e) Seien Sie nicht so laut!

   *c*

14 In welchem Wortpaar wird das *ch*
   gleich ausgesprochen?
   a) Charakter  – Chemie
   b) Chirurg    – Charme
   c) Chef       – Christ
   d) Chlor      – Chaussee
   e) Chronik    – Chrysantheme

   *e*

15 Die Wörter *Gräten, Flossen, Kiemen*
   und *Schuppen* haben alle etwas mit
   . . . zu tun.
   a) Fischen
   b) Unterwassersport
   c) Haarkrankheiten
   d) Abstellräumen
   e) Stoffen

   *c*

# Antworten

# Antworten

## Test 1

1  **e.** Eine Frage, die alle angeht, geht *Mann* und *Frau* an; sie geht *jedermann* an, nicht nur *jemand* = einen. Das Wort *man* gibt es nur im Nominativ. *Mensch* wird nach der -*en*-Deklination dekliniert, also:

| | |
|---|---|
| der Mensch | die Mensch*en* |
| des Mensch*en* | der Mensch*en* |
| dem Mensch*en* | den Mensch*en* |
| den Mensch*en* | die Mensch*en* |

2  **e**

3  **b.** Ein *Stall* (''-e) ist ein Raum für Pferde, Kühe, Schafe, Schweine, Hühner usw. Mehrere Hunde werden zusammen in einem *Zwinger* (-) gehalten. Ein Hund schläft in einem *Hundekorb* (''e).

4  **d.** Menschen reisen in *Personen-*, *Eil-* oder *Schnellzügen*. Eil- und Schnellzüge halten nicht an jeder Station. *Güterzüge* transportieren Sachen: Autos, Maschinen, Kohle usw. *Gesichtszüge* sind die charakteristischen Linien eines Gesichts, z. B. strenge Gesichtszüge.

5  **b.** *blau machen* = nicht arbeiten, obwohl man nicht krank ist; *sein blaues Wunder erleben* = sehr unangenehm überrascht werden: ,,Wenn sie den faulen Kerl heiratet, wird sie noch ihr blaues Wunder erleben.'' Bei einer *Fahrt ins Blaue* kennen die Teilnehmer das Ziel vorher nicht; *blaues Blut haben* = adlig sein.

6  **e.** Eine Taube *gurrt*, eine Krähe *krächzt*, ein Huhn *gackert*, eine Lerche *triliert* oder *jubiliert*.

7  **a.** Mehl, Brötchen, Bonbons usw. kauft man in *Tüten;* Deckel und Rücken eines Buches sind der *Einband;* die *Verpackung* einer Ware kann Papier,

eine Schachtel, eine Kiste usw. sein. In manchen
Gegenden Deutschlands sagt man *Einschlag*papier
= Papier, in dem man eine Ware oder ein Geschenk
verpackt.

8 **d.** Richtig: Er *schlief* . . .

9 **e.** Die anderen Ausdrücke benutzt man nicht als
Nomen. Der Junge ist *gewachsen* = größer
geworden. Wer nicht mehr wächst, ist *aus-
gewachsen;* er ist zum Mann *herangewachsen.*
Das Kind ist ohne Eltern *aufgewachsen.*

10 **d.** *Die Tür eintreten* heißt, so lange gegen eine
geschlossene Tür treten, bis sie kaputt ist (z. B.
wenn im Raum dahinter jemand in Lebensgefahr
ist).

11 **c.** In allen anderen Wörtern wird das *a* lang
gesprochen; aber vor einem Doppelkonsonanten
(hier *tt*) ist der Vokal immer kurz.

12 **b.** Das Besteck (Messer, Gabel, Löffel) *liegt
neben den* Tellern (wo?); aber: Man *legt* es *neben
die* Teller (wohin?).

13 **d.** Nach *Lieber Herr* muß in der Anrede im Brief
immer der Name folgen, also: *Lieber Herr Müller!*
Schreibt man an eine Firma, ohne jemand per-
sönlich anzureden, so heißt es heute meistens:
*Sehr geehrte Damen und Herren!*

14 **b.** die *Leuchte* (-n) = modisch für Lampe; in einem
*Leuchter* (-) stehen Kerzen; *Licht* (-er) ist ein Wort
für Kerze, bezeichnet aber auch alles, was leuchtet,
z. B. die Lichter des Zuges, das Licht des Mondes
usw. Die *Elektrische* ist eine veraltete Bezeichnung
für (elektrische) Straßenbahn.

15 **e**


## Test 2

1 **b.** Ein *Tannenbaum* ist ein Nadelbaum,
alle anderen Bäume sind Obstbäume.

2 **a.** Durch die *Wasserleitung* fließt *Leitungswasser*. Ein *Wasserhuhn* ist ein Vogel. *Wasserleiter* gibt es nicht.

3 **d**

4 **c.** Richtig ist: Er *wurde* ein reicher Mann.

5 **e**

6 **c.** Es muß heißen: Er konnte sich nicht *aufrichten*.

7 **c.** Es heißt: *Sport treiben;* aber: *Fußball spielen, Tennis spielen*.

8 **d.** Ich *gehe zu* mein*em* Onkel und *bleibe* dann *bei* mein*em* Onkel.

9 **d.** *viermonatig* = vier Monate lang; aber: Wir treffen uns viermal *monatlich*. = Wir treffen uns jeden Monat viermal.

10 **e**  der Lenker (-)  die Klingel (-n)
der Sattel ('')

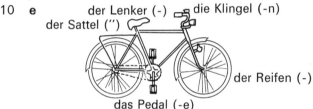

der Reifen (-)

das Pedal (-e)

11 **e.** Was ich nicht selbst reparieren kann, *lasse* ich von einem Fachmann *reparieren*. Ich bringe es *zur Reparatur*.

12 **a.** Wer an einer *Erkältung* leidet, hat *Husten* und *Schnupfen* und muß oft *niesen*.

13 **a**

14 **a.** Hüte, Mützen und Brillen setzt man auf.

15 **c**

## Test 3

1 **d.** Richtig: Er hat sich *scheiden lassen*.

2 **e.** *Sich den Kopf zerbrechen* bedeutet angestrengt nachdenken.

3 **d.** *das* Maß, Plural: die Maße (zu *messen;* langes *a*!) *die* Masse, Plural: die Massen (= große Menge; kurzes *a*!)

4 **c**

5 **d.** *anders als; ganz* = völlig; eine Gans ist ein Vogel (s. Lösung zu A 11/15, S. 81).

6 **b**

7 **d.** Das ist alles/etwas/nichts, *was* ich brauche.

8 **b.** Richtig: . . . in sein*em* Zimmer.

9 **a.** *mindestens* = wenigstens.

10 **d**

11 **d**

12 **b**

13 **b.** Wie ist der Fotoapparat eingestellt? – *Blende*: 8, *Belichtung*: 1/100 sek.

der *Auslöser* (-)

das *Objektiv* (-e)

14 **c.** Das Café befindet sich *an der* Ecke. (Wo?) (vgl. Lösung zu A 4/8, S. 73).

15 **a**


## Test 4

1 **c.** *Bitte ziehen Sie sich aus!* kann der Arzt sagen, der Sie gründlich untersuchen will. Gewöhnlich sagt er: *Machen Sie den Oberkörper frei!* *Ziehen Sie ab!* ist eine unfreundliche Aufforderung zum Gehen. *Legen Sie los!* sagt man umgangssprachlich für: ,,Beginnen Sie zu erzählen!''

2 **d**

3 **e.** *Ankunft*, Gegenteil: *Abfahrt;* die *Abkehr* = das Sich-Wegwenden; der *Fortgang* = das Weitergehen. ,,Im *Fortgang* seiner Arbeit kamen ihm Zweifel an seiner These.''

4 **e.** *einig* sind sich Menschen, wenn sie in einer
Sache übereinstimmen; *einfach* = nicht kompli-
ziert, schlicht, nicht zusammengesetzt: eine
*einfache* Aufgabe; Die Wohnung war sehr *einfach*
eingerichtet; die *einfachsten* Bausteine des Lebens;
*einzeln* = getrennt von den anderen, allein für
sich; *einsam* = verlassen.

5 **c**

6 **b.** Richtig: die *Krankheit.*

7 **e**

8 **d.** Ein Auto hat ein *Nummernschild:*

b, c und e gibt es nicht.

9 **c**

10 **a.** = die Soldaten hörten auf zu schießen.

11 **b.** Richtig: *die Sonne scheint;* aber: *es schneit*
= es fällt Schnee.

12 **d**

13 **e.** *ernst*, Gegenteil: *heiter; böse*, Gegenteil: *gut.*

14 **d**

15 **e**

## Test 5

1 **d.** Nüsse *knackt* man.

2 **d.** Alle anderen Wörter drücken begeisterte Zu-
stimmung aus; *entsetzlich* = furchtbar, schrecklich.

3 **d.** *heulen* heißt laut weinen; auch Hunde, Wölfe,
Schakale *heulen.* Das Auge *tränt*, wenn ein
Sandkorn hineingeraten ist. Die Tränen *tropfen.*
Eine Wunde kann *nässen.*

4 **b.** *nutzen = nützen:* Das Medikament hat nichts
*genutzt/genützt* (= hat nicht geholfen). Nomen:
der *Nutzen;* Adjektive: *nützlich, nutzlos.*
Man kann Maschinen und Geräte *bedienen.*
Die *Bedienungs*anleitung sagt, wie man das richtig
macht.

Formeln und Regeln soll man in der Praxis
*anwenden*. Gegen Krankheiten *wendet* man eine
Therapie (z. B. Bäder, ein Medikament usw.) *an*.

5   **d.** Es *ist* etwas *passiert* (ist geschehen).
(Zustandswechsel: etwas Neues ist eingetreten.)
Ich *bin gegen ihn* gestoßen (ohne Absicht); aber:
Ich *habe ihn* gestoßen (absichtlich).
Es *hat gekracht.* + Das *habe* ich *gehört.* = Ich *habe*
es *krachen hören.* Er *ist gekommen.* + Das *habe*
ich *gesehen.* = Ich *habe* ihn *kommen sehen.*
Also zwei Infinitive, wie bei den Modalverben:
Er hat nicht *kommen können.*
Wie alle Fortbewegungsverben bildet *fahren* das
Perfekt gewöhnlich mit *sein;* also: Er *ist* in dem
Wagen *gefahren.* Aber: Er *hat* den Wagen (selbst)
*gefahren* (= hat ihn gelenkt).

6   **b.** Man *beobachtet* einen Vorgang (was geschieht
oder was jemand tut). Man *betrachtet* etwas,
was sich nicht verändert (ein Bild, eine Landschaft).

7   **a.** Richtig: *Wissen* Sie, . . . ? *Kennen* hat immer
ein Objekt, z. B.: *Kennen* Sie *den Film?*

8   **b**

9   **e.** = *die Leiter* (-n); *der Leiter* (-) = jemand, der
etwas leitet (z. B. der Schulleiter, der Abteilungs-
leiter); die *Stiege* (-n) besonders süddeutsch
= die *Treppe* (-n).

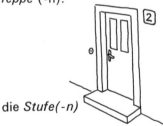

die *Stufe(-n)*

10   **b.** Kann ich *dir vertrauen?* Kann ich *dir glauben?*
Kann ich *auf dich zählen?* Aber: Er *versicherte mir*
seine Treue.

11  **a.** Gegenteile: *leicht* – schwer, *leise* – laut, *sanft* –
rauh, *dünn* – dick.

12  **b.** bitten, bat *gebeten*.

13  **c.** Weihnachten (immer ohne Artikel) ist wie
Ostern und Pfingsten Plural.

14  **c**

15  **d.** die *Stoffe*.


## Test 6

1  **b.** Wenn Studenten in einer Vorlesung *zischen*,
sind sie nicht mit dem einverstanden, was der
Professor sagt.

2  **e.** Wenn ich einen Weg nach unten suche,
möchte ich *hin*unter. Wer selbst unten ist, ruft dem
anderen zu: Komm *her*unter!

3  **c.** Besen*stiel*. Die Ausdrücke: der *Stab* (''e),
der *Stock* (''e), der *Stecken* (-) sind oft synonym,
aber Stäbe können auch aus Eisen sein, Stöcke
und Stecken nur aus Holz.

4  **c.** *wiederholen* = noch einmal sagen; *widersprechen* = eine andere Meinung vertreten;
*wiedergeben* = schildern; etwas *weitersagen* =
anderen sagen.

5  **e**

6  **b.** Man kann Fische mit der *Angel* fangen.
Der König wohnt in einem *Schloß*. Psychologen
sprechen von der Bewußtseins*schwelle*.

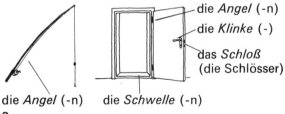

die *Angel* (-n)
die *Klinke* (-)
das *Schloß*
(die Schlösser)

die *Angel* (-n)     die *Schwelle* (-n)

7  **a**

8  **c**

9 **c.** *wiegen, wog, gewogen* = mit einer *Waage* feststellen, wieviel etwas wiegt; *wiegen, wiegte, gewiegt* = hin und her bewegen (ein Kind in der *Wiege*); *wagen, wagte, gewagt* = (etwas) riskieren; die *Woge* (-n) = hohe Welle im Meer.

die *Wiege* (-n)

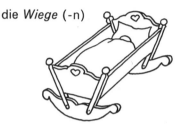

10 **e**

11 **a**

12 **c**

13 **d.** Richtig: *gebeten* (um etwas *bitten, bat, gebeten*); aber: (etwas an)*bieten, bot* (an), (hat an)*geboten*.

14 **a.** das *Kapital* (-ien) = Geld, das Zinsen bringt; das *Kapitol* = einer der sieben Hügel Roms; das *Kapitell* (-e) = oberer Abschluß einer Säule; der *Kapitän* (-e) = Führer eines Schiffes.

15 **b**

## Test 7

1 **d.** Beim *Fußball* ist es das Ziel, den Ball ins gegnerische *Tor* zu schießen. Ein begrenzter Raum vor dem Tor ist der *Strafraum*. Der *Schiedsrichter* wacht über die Einhaltung der Spielregeln. *Abseits* nennt man eine Spielerposition, aus der heraus kein Tor geschossen werden darf.

2 **c.** Richtig: *Es war ihm unmöglich, . . .*

3 **b.** *Es tut mir sehr* (oder *furchtbar*) *leid. Ich bin sehr* (oder *furchtbar*) *traurig. Es ist sehr schade, daß* ich keine Konzertkarte mehr bekommen habe. *Leider* habe ich keine Karte mehr bekommen.

4 **c.** Richtig: *Kennen* Sie Lübeck? Ja, ich *kenne* es, denn ich war schon mehrmals dort. / Nein, ich *kenne* Lübeck nicht, ich *weiß* nur, daß es eine alte Hansestadt an der Ostsee ist.

5 **a**

6 **b**

7 **e**

8 **d**

9 **a**

10 **a**

11 **b**

12 **b.** *furchtbar* = schrecklich: ein *furchtbares* Erdbeben; ein *furchtbarer* Krieg; Menschen und Tiere sind *ängstlich* oder *furchtsam* (immer oder nur in bestimmten Situationen); *verängstigt* ist und reagiert, wer schlimme Erfahrungen gemacht hat; *angstvoll* reagiert man auf eine Gefahr.

13 **e.** Vergleichen Sie:
Ich *bin* sehr zufrieden, weil es mir so gut *geht* (wie dir). (Es geht mir wirklich gut; real.)
Ich *wäre* sehr zufrieden, *wenn* es mir so gut *ginge* wie dir. (Es geht mir nicht gut; irreal.)

14 **e.** Auch möglich: Ich denke, daß *Sie das* interessieren wird.

15 **b**

## Test 8

1 **d**

2 **c**

3 **d**

4 **e.** Mit einem *Fahrstuhl* fährt man von einem Stockwerk eines Gebäudes zum andern. Im *Geschirrschrank* bewahrt man Geschirr (Teller, Tassen usw.) auf. Eine *Kommode* ist ein Möbelstück mit Schubladen. Ein *Bücherregal* ist ein Möbelstück ohne Türen, in dem Bücher stehen. Ein *Couchtisch* ist ein niedriger Tisch vor einer Couch.

5 **a**

6 **b.** *Gebäck* kauft man beim Bäcker. Die *Reisenden* warten auf dem *Bahnsteig* auf die *Züge*. Die Eisenbahnzüge fahren auf *Schienen*. *Gepäck* sind die Koffer und Taschen der Reisenden.

7 **d.** Man *tritt aus* einer Partei oder einem Verein aus (= man ist nicht mehr Mitglied). Ich muß mal *austreten* (= . . . auf die Toilette gehen). *wegtreten* (militärisch) = weggehen; *ausgehen* = ins Theater, Konzert, zum Tanz, zum Essen gehen; *abgehen* (Theatersprache) = von der Bühne gehen.

8 **b.** *Johannisbeeren* wachsen an einem Strauch.

9 **a.** Der *Bettvorleger* ist ein kleiner Teppich vor dem Bett. Mit der *Bettdecke* deckt man sich zu; sie ist in einem *Bettbezug*. Das *Federbett* ist eine mit Federn gefüllte Bettdecke.

10 **b.** Ein Film ist *unbelichtet*, wenn man ihn kauft. Das Wort *unterbeleuchtet* gibt es nicht. Nicht voll eingeschaltetes Licht ist *abgeblendetes* Licht. Der Winter ist die *lichtarme* Jahreszeit.

11 **e.** Richtig: *wenn*.

12 **d.** Aber: Die Maschine, *auf* deren Ankunft ich *wartete*, . . .

13 **d.** Die anderen Wörter gibt es nicht.

14 **d,** Richtig: die *Küchentür*, das *Schlafzimmer*, das *Kinderzimmer*, das *Wohnzimmer*.

15 **e**

## Test 9

1 **e.** Er hat eine *schwere* oder *schlimme* Krankheit; aber nur: die Krankheit wurde *schlimmer*. Schmerzen können *stark* oder *schlimm* sein und *stärker* oder *schlimmer* werden.

2 **b.** Die Tassen stehen schon im Schrank. Wenn man von einem Menschen sagt „Der hat ja nicht alle Tassen im Schrank", so heißt das: Er ist verrückt.

3 **d.** Wasser wird bei einer Temperatur unter 0° Celsius zu *Eis*. Das Metall heißt *Eisen*.

4 **c.** Richtig: Weißt du, *wohin* ich meine Uhr gelegt habe? *legen* (stellen, setzen) steht in der Frage immer mit *wohin*; *liegen* (stehen, sitzen) immer mit *wo*: *Wohin* hast du es gelegt? – Auf *den* Tisch. *Wo* liegt es? – Auf *dem* Tisch.
*Der Wind hat sich gelegt* = Es ist jetzt windstill.

5 **d.** Richtig: *einen Deutschen* und *eine Deutsche*. Das Adjektiv *deutsch* wird auch als Nomen benutzt, also: Er ist *ein* Deutsch*er*. *Der* Deutsch*e* fährt im Urlaub gern ins Ausland. Die Leute sind Deutsch*e*, nicht Franzosen.

6 **c**

7 **a.** Ich *kann* es *nicht aufgeben*. Ich *schaffe es nicht*, das Rauchen *aufzugeben*.

8 **e.** der *Gegenstand* = das Ding, die Sache; das Thema, der Stoff eines Gesprächs oder einer Abhandlung.
Im *Gegensatz/Kontrast* zu etwas stehen: Seine plötzliche Freundlichkeit stand im Gegensatz/Kontrast zu seiner bisherigen Strenge.
Der *Gegenschlag:* gegen einen Schlag geführter Schlag.

9 **c**

10 **b.**

der *Krug* ("e)

der *Ausguß* ("sse)

der *Gießer* (-) = Metallarbeiter, der in der Gießerei arbeitet.

11 **c.** Ich bin *schon lange* hier. Ich bin *nur kurze Zeit* hier = Ich bleibe nicht lange hier. Ich bin *noch einige Zeit* hier = Ich gehe nicht sofort. Ich bin *gerade angekommen*.

12   **e.** Die Vorsilbe *ent-* hat sehr oft die Bedeutung *weg:* Man nimmt, gibt etwas weg, etwas fällt weg, geht weg.

13   **a.** *das All* = das Weltall = der Kosmos.

14   **b.** einen *Fahrtausweis* brauchen Sie bei der Bahn oder im Bus: entweder eine Monatskarte oder einen *Fahrschein*/eine *Fahrkarte* für eine Fahrt. Ein polizeiliches *Führungszeugnis* gibt Auskunft darüber, ob man vorbestraft ist oder nicht.

15   **a.** *Wer* = ein Mensch, der . . . Sprichwörter sind oft solche Relativsätze mit „wer", z. B.: Wer andern eine Grube gräbt, fällt selbst hinein. Wer nicht hören will, muß fühlen.

## Test 10

1   **b.** *schwierig* (Gegensatz: einfach) können alle Arten von Aufgaben sein: schwierige Berechnungen, Verhandlungen, Operationen usw.; ein *beschwerlicher* Weg = ein Weg mit vielen Hindernissen; *mühsam* verdientes Geld = Geld, für das man hart gearbeitet hat; der um seine Gäste *bemühte* Wirt = ein Wirt, der seine Gäste besonders aufmerksam bedient; *beschwert* meist in der verneinten Form gebraucht: *unbeschwert*, z. B. eine unbeschwerte Kindheit = eine sorglose Kindheit.

2   **d.** *ausgezeichnet* = besonders gut, hervorragend; er wurde für seine besonderen Leistungen *ausgezeichnet* = er erhielt einen Orden (oder Preis) als Anerkennung; Waren *auszeichnen* = Waren mit Preisschildern versehen.

3   **c.** Die Adjektive *rosa, lila, prima* haben keine Endung; richtig also: ein rosa Kleid, ein lila Hut, eine prima Idee.

4   **d.** das (Vogel)*Bauer* (-) = ein kleiner Vogelkäfig; ein *Käfer* (-) ist ein Insekt; das (Vogel)*Nest* (-er) das Kästchen (-) = ein kleiner Kasten.

5    **e.** ein Kleid *ändern* = es länger oder kürzer machen; sein Kleid *wechseln* = ein anderes Kleid anziehen; *abwechseln:* Mein Mann und ich wechselten uns beim Fahren ab = einmal fuhr er einmal ich; *vertauschen:* Das ist gar nicht meine Jacke! Ich glaube, man hat sie bei der Reinigung vertauscht.

6    **c.** In *Ahle* und *Aale* wird das *a* lang gesprochen; in *alle* und *Allee* ist das *a* kurz, doch endet *Allee* auf langes betontes *e*.

7    **a.** Richtig: *Iß* . . . (du) oder *Eßt* . . . (ihr).

8    **d**

9    **e**

10    **d**

11    **a.** Wüsten *bewässern*, um sie fruchtbar zu machen; Moore *entwässern*, um sie trockenzulegen; Wein *verwässern* = mit Wasser verdünnen (auch figurativ: etwas schwach, kraftlos oder unwirksam machen); mir *wässert* der Mund nach diesem guten Essen = ich habe großen Appetit darauf; salzige Heringe *wässern* = in Wasser legen; *durchwässern* gibt es im Hochdeutschen nicht.

12    **b.** *Er wird erst aufhören* zu rauchen, *wenn* er einen Herzanfall bekommt. Mancher *hört* auch *nachher* nicht *auf. Nach* einem Herzanfall *hörte er* mit dem Rauchen *auf.* Er hatte einen Herzanfall; *danach hörte er* mit dem Rauchen *auf.*

13    **d.** Man gratuliert nur zu persönlichen Erfolgen oder Festen, nicht zu solchen, die die Allgemeinheit feiert.

14    **b.**

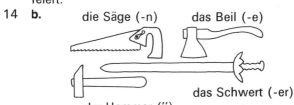

die Säge (-n)      das Beil (-e)

das Schwert (-er)

der Hammer (̈)

15    **a**

## Test 11

1. **c.** *Langfinger* = Dieb.
2. **d.** Ein *denn* in einer Frage zeigt das persönliche Interesse des Fragenden.
3. **d.** Richtig: *ich klingle*.
4. **d.** ein Gedicht *auswendig* lernen.
5. **b.** ein *Zahnfehler* wäre z. B. ein schief gewachsener Zahn.
6. **d.** *den* hat ein langes *e*, *denn* ein kurzes.
7. **b.** Richtig: ein *paar* Bonbons = einige; das *Paar* (-e) = zwei zusammengehörige Menschen oder Sachen.
8. **d.** Aber: Die Stadt, *in der* ich wohne, . . .
9. **b.** *Weizen, Hafer, Roggen, Gerste* sind Getreidearten; *Grieß* ist grob gemahlenes Getreide, meist Weizengrieß.
10. **b.** Richtig: *Geige spielen*.
11. **e.** *Wohin* ist es gefallen? – Auf *den* Boden. *Wo* liegt es? – Auf *dem* Boden.
12. **b**
13. **c**
14. **a.**
    Wenn ich Zeit *habe*, *komme* ich zu euch.
    (Gegenwart, real)
    Wenn ich Zeit *hätte*, *käme* ich zu euch.
    (Gegenwart, irreal)
    Wenn ich Zeit *hatte*, *kam* ich immer zu euch.
    (Vergangenheit, real)
    Wenn ich Zeit *gehabt hätte*, *wäre* ich *gekommen*.
    (Vergangenheit, irreal)
15. **d**

## Test 12

1. **d.** die *Rate* (-n) = Teilzahlung: Zahlen Sie den Betrag in vier Raten zu 50,— DM! der *Rat* ("e) = Gremium, das etwas berät oder beschließt, aber auch ein Mitglied davon: der Rat der Stadt

(Gremium), der Stadtrat (Mitglied); Arbeiter- und Soldatenräte. Das *Rätsel* (-) etwas, dessen Lösung man erraten muß, z. B. ein Kreuzworträtsel.
Der *Ratgeber* (-) = jemand, der Ratschläge erteilt (auch ein Buch kann ein Ratgeber sein).

2 **e.** Richtig: Das kann nicht mehr *festgestellt* werden.

3 **c**

4 **c**

5 **d.** *Hals- und Beinbruch* sagt man jeweils statt *Viel Glück! Alles Gute!*

6 **e.** Richtig: ... *erschrak ich* oder ... *war ich sehr erschrocken.*

7 **c**

8 **d.** Aber: *als erster.*

9 **e.** Brillen und Hüte *setzt* man *auf.*

10 **c.** Richtig: ... eines Studen*ten.*

11 **c.** der *Lastkraftwagen* = LKW, Plural: LKWs (Elkawes); der PKW = Personenkraftwagen.

12 **a.** Richtig: die Familie *wartete* ...

13 **a**

14 **d.** Richtig: ... *mag* ich lieber als ... Was man *mag*, gefällt einem; was man *möchte*, will man haben.

15 **a**

## Test 13

1 **a.** *aufschrauben* = öffnen, indem man Schrauben herausdreht; ein Teil auf einem anderen durch Schrauben befestigen; *aufdrehen* = durch Drehen mit der Hand öffnen, z. B. ein Schraubglas, einen Wasserhahn; *aufschließen* = mit einem Schlüssel öffnen.

2 **e.** Nomen mit der Endung *-ung* sind immer feminin; aber *Ursprung* ist ein zusammengesetztes Wort: Vorsilbe *ur* + *Sprung.*

3  **d.** Lauten, Geigen, Klaviere usw. haben *Saiten* aus Darm oder Metall: die (Geigen)*Saite* (-n). Aber: die *Seite* (-n) eines Buches, die linke/rechte *Seite*. Mit einem *Faden* (") näht man. Der elektrische Strom fließt durch einen *Draht* ("e). Der Artist im Zirkus balanciert über ein *Seil* (-e).

4  **d**

5  **e.** Wer nicht sprechen kann, ist *stumm;* wer nicht gehen kann, ist *lahm;* wer nicht hören kann, ist *taub;* wer sehr krank oder müde ist, ist *matt*.

6  **a.** *viel Arbeit* = viel zu tun; aber: Heute werden *viele Arbeiten*, die man früher mit der Hand machte, von Maschinen ausgeführt.

7  **e.** der *Stiefel* (-)

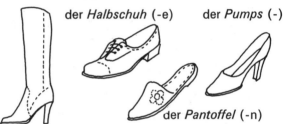

der *Halbschuh* (-e)     der *Pumps* (-)

der *Pantoffel* (-n)

8  **a.** *Alles*
      *Nichts*
      *Etwas*
      *Vieles*    } *, was* ich gesehen habe, war schön.
      *Manches*
      *Das*

9  **c.** ein *Gespräch führt* man.

10  **e**

11  **d.** Wir *brauchen* es *nicht zu* übersetzen. Wir *brauchen* nur einen Teil *zu* übersetzen. Aber ohne *zu: Sollen* wir es *übersetzen? Muß* man es *übersetzen? Wollen* Sie es *übersetzt haben?*

12  **a.** Ich liebe die *Weite* dieser Landschaft. Der Zug verschwand in der *Ferne*. Seit der *Erweiterung* unseres Geschäfts können Sie auch Herren-

kleidung bei uns kaufen. Seit der Politiker gestürzt
wurde, sind alle seine ehemaligen Freunde auf
*Distanzierung* bedacht.

13 **e**
14 **b**
15 **c**

## Test 14

1 **b.** *einen Blick auf etwas werfen* = kurz ansehen;
*ein Auge auf etwas geworfen haben* = es haben
wollen; *einen Augenblick* warten = kurz warten.
Nach dem Fußballspiel *bot* das Stadion *einen*
häßlichen *Anblick:* überall lagen Zeitungen,
Flaschen, Tüten und Zigarettenschachteln.
Im *Hinblick* auf die Olympiade trainierte die
Sportlerin noch mehr als sonst.

2 **d.** *ei, ei!* = Das ist aber seltsam. *Hoppla!* ruft man,
wenn man (oder jemand in der Nähe) stolpert.
*Hmm!* = Das schmeckt gut! *Ah!* = Das tut gut.
Das ist wunderbar!

· 3 **c.** = Seit meiner Krankheit verliere ich die Haare.
*ausgehen* = a: verlöschen; b: ins Kino, Theater,
zum Tanzen gehen; d: enden; e: (von Waren)
nicht da sein.

4 **c**
5 **a**
6 **e.** Der Wind *weht.*
7 **d.** In der *Scheune* lagert das Getreide, Stroh, Heu.
8 **c.** Man kann ein Glas oder eine Tasse *zerbrechen.*
,,Was hat er denn *verbrochen?"* – ,,Er hat gestoh-
len!" Bei vielen antiken Statuen sind Teile *abgebrochen.* Man hat Herrn Meyer ins Krankenhaus
*gebracht* (bringen, brachte, gebracht).
9 **c.** die *Gleichheit* = das Fehlen von Unterschieden;
Freiheit, Gleichheit und Brüderlichkeit; das
*Gleichgewicht* = die Balance: Er konnte plötzlich
das Gleichgewicht nicht mehr halten, schwankte

und stürzte in die Tiefe; die *Gleichung:* x = a + b;
die *Gleichgültigkeit* = das Desinteresse.

10 **a.** die *Helligkeit.*
11 **b.** Eine Blume hat *Blätter, Blüten, Wurzeln* und *Stengel.*
12 **b**
13 **d.** *unbenutzt* = nicht verwendet, nicht gebraucht.
14 **e.** die Haare, die Schuhe *bürsten;* die Mutter *streichelt* das Kind zärtlich; ein Brot mit Butter *schmieren/streichen;* ein Porträt *zeichnen.*
15 **d**

## Test 15

1 **d**
2 **d.** die *Gage* (-n) (Bezahlung von Schauspielern, Sängern usw.), das zweite *g* wird wie ein stimmhaftes sch gesprochen, vgl. Garage, Etage.
3 **c**
4 **c.** *Hase* wird nach der schwachen Maskulindeklination dekliniert, d. h. alle Fälle außer dem Nominativ haben die Endung *-n.*
5 **e.**

 der *Augapfel* ('')

6 **b**
7 **d**
8 **e.** Richtig: ein *Schlangenbiß.*
9 **b.** der *Beleuchter* (-) = Mann, der im Theater für die Beleuchtung der Bühne sorgt; die *Küstenwache* (-n) = Männer, die an der Küste für die Sicherheit der Schiffahrt sorgen; das *Blitzlicht* (-er) = helles, kurz aufleuchtendes Licht (beim Fotografieren); die *Warnleuchte* (-n) = Lichter, die z. B. an einer Straßenbaustelle vor Gefahr warnen.

10 **c.** Aber: Er *hat wenig* Chancen, die Prüfung zu bestehen. Entsprechend: Sein Einkommen *ist gering;* aber: Er *hat wenig* Geld.

11 **b.** Richtig: Der Hund *tut* dir nichts.

12 **e**

13 **b**

14 **e.** *ch = k* in: *Charakter, Christ, Chlor, Chronik, Chrysantheme.*
*ch* wie in *ich: Chemie, Chirurg.*
*ch = sch* in: *Charme, Chaussee.*

15 **a.** *Fische* atmen durch *Kiemen* und bewegen sich mit *Flossen* fort; ihr Skelett sind die *Gräten,* ihre Hautplättchen heißen *Schuppen.*

# Ihr Testergebnis

Test 1 — 8

Test 2 — 13

Test 3 — 10

Test 4 — 5

Test 5 — 8

Test 6 — 8

Test 7 — 9

Test 8 — 7

Test 9 — 6

Test 10 — 10

Test 11 — 9

Test 12 — 9

Test 13 — 9

Test 14 — 9

Test 15 — 10

GESAMT — 130

# Wie geht es weiter?

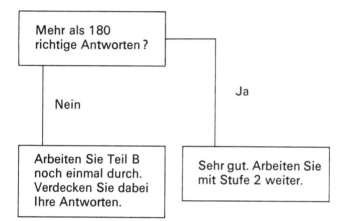

Mehr als 180 richtige Antworten?

Nein

Ja

Arbeiten Sie Teil B noch einmal durch. Verdecken Sie dabei Ihre Antworten.

Sehr gut. Arbeiten Sie mit Stufe 2 weiter.